Senhora do sol

Pedro Siqueira

Senhora

do sol

Para enfrentar o medo, a melhor arma é a fé

SEXTANTE

Copyright © 2019 por Pedro Siqueira

Todos os direitos reservados. Nenhuma parte deste livro pode ser utilizada ou reproduzida sob quaisquer meios existentes sem autorização por escrito dos editores.

As passagens bíblicas deste livro foram retiradas da Edição Pastoral da Bíblia Sagrada, da editora Paulus, e da Bíblia Sagrada da editora Ave-Maria.

copidesque
Gabriel Machado

revisão
Hermínia Totti e José Grillo

projeto gráfico e diagramação
DTPhoenix Editorial

capa
Angelo Allevato Bottino

imagem de capa
Vololibero / Shutterstock

impressão e acabamento
Associação Religiosa Imprensa da Fé

CIP-BRASIL. CATALOGAÇÃO NA PUBLICAÇÃO
SINDICATO NACIONAL DOS EDITORES DE LIVROS, RJ

S632s

Siqueira, Pedro
  Senhora do sol/ Pedro Siqueira. Rio de Janeiro: Sextante, 2019.
  240 p.; 16 x 23cm.

  ISBN 978-85-431-0757-8

  1. Ficção brasileira. I. Título.

19-56384
CDD: 869.3
CDU: 82-3(81)

Todos os direitos reservados, no Brasil, por
GMT Editores Ltda.
Rua Voluntários da Pátria, 45 – Gr. 1.404 – Botafogo
22270-000 – Rio de Janeiro – RJ
Tel.: (21) 2538-4100 – Fax: (21) 2286-9244
E-mail: atendimento@sextante.com.br
www.sextante.com.br

*Para meus pais,
Pedro Paulo e Dulce Maria,
com amor e agradecimento
pela educação recebida.*

CAPÍTULO I

Destino

Depois de cinco horas ininterruptas de viagem, o carro começou a passar por pastos e belas paisagens. Não se viam mais os povoados medievais. O motorista estava tenso. As rugas na testa e nos cantos dos olhos eram realçadas pelas frequentes caretas de insatisfação e cansaço.

– Onde estou? Será que não vou chegar nunca? – perguntava em voz alta, fitando o painel do carro.

Ele olhava para todos os lados, procurando algum ponto de referência.

Por fim, o solitário sacerdote avistou uma plaqueta de madeira: *Strada Provinciale*. Sorriu e deu um tapa no volante com toda a força. Apenas dez minutos antes, estava prestes a aceitar que não chegaria tão cedo ao destino. Já planejava encontrar alguma pousada para passar a noite, pois estava perdido entre o mar Adriático e o interior da região de Foggia. Agora, a incômoda situação acabara de mudar.

"Quando se olha o mapa, tudo parece tão simples...", pensou, mirando o vasto campo esverdeado pela janela fechada do pequeno automóvel, com um sorriso de canto de boca. Olhando para trás, tentou enxergar algum outro ser humano. Não havia mais ninguém além das vacas que pastavam com tranquilidade.

Pelo mapa da região e pelas orientações que lhe foram dadas em Roma, escritas de improviso em um papel qualquer, daquele ponto em diante bastava seguir uma linha reta. Tudo se simplificara em poucos instantes.

"Deus é bom!", pensou, aliviado.

E imaginar que, inicialmente, havia recusado o mapa oferecido pelo funcionário na loja de aluguel de carros. Estufando o peito com empáfia, dissera ao italiano:

– Para que esse pedaço de papel se hoje tenho toda a tecnologia em meu celular? Já ouviu falar de GPS?

Irritado, o homem retrucou, sem nenhuma diplomacia:

– Senhor, parabéns por sua tecnologia, mas se não quiser ficar perdido no meio do nada, com seu celular caro e suas malas, leve este mapa também. Escrevi no verso as orientações. *Turisti...*

De fato, durante o percurso, em algumas localidades, não havia sinal de celular. O pedaço de papel o salvara.

Poucos minutos o separavam do ponto de chegada. Mais tranquilo, encostou o carro para relaxar. Saltou e observou melhor o caminho à frente. Avistou, a distância, o monte Gargano. Aos pés dele, identificou o início da estrada sinuosa que, segundo as instruções recebidas, o levaria até o cume. No topo, enfim, encontraria os muros da minúscula cidade de Monte Sant'Angelo, onde passaria uma temporada. Seu coração adotou novo compasso, mais sereno.

"Depois de tantas horas dentro deste carro, não aguento mais. Se pudesse, o largaria aqui e iria a pé. Mas preciso resistir. Ainda faltam alguns minutos", refletiu, cansado.

Olhou para o céu e inspirou fundo. Então, abriu a porta do carro e deu a partida. Sua mente se fixou nos acontecimentos que o incomodavam havia meses. Antigas perguntas continuavam a martelar: Existe destino? É possível mudá-lo? Será que minha derrota já está sacramentada? Um ano tinha se passado, mas os problemas, que se iniciaram em um fim de tarde, ainda ameaçavam destruir tudo o que construíra com enorme esforço.

"Como está frio aqui! Raniero me avisou que, nesta época do ano, a temperatura era baixa, mas não dei importância", lamentou-se o sacerdote brasileiro, enquanto o carro seguia devagar.

Deixando de lado o sofrimento por um tempo, a mente de José se deteve na figura de Raniero. Era um italiano de 50 anos que havia se ordenado padre aos 25. Nascera naquela região, Foggia. Seus dois irmãos eram sacerdotes, e suas três irmãs, freiras. Tratava-se de um homem bem-humorado, em quem se podia confiar em qualquer hipótese. Enfrentava as situações do cotidiano com uma leveza especial, sempre sorrindo e fazendo piadas. Seu maior defeito era a gula. Não resistia a um bom prato, sobretudo se acompanhado por um vinho da Toscana.

"A casa de meu grande amigo Raniero é minha última esperança. Quer dizer, a casa não é dele. Ele é apenas o administrador, o padre prior daquela comunidade. É a residência do arcanjo mais poderoso do universo!"

José começou a se lembrar do primeiro dia em que almoçou com Raniero. Os dois tinham acabado de concelebrar a missa do meio-dia na capela da universidade onde José lecionava.

– Quer dizer que você veio da Itália para aprimorar o português aqui, na universidade?

– Sim. Estou matriculado no curso de português para estrangeiros.

– Me conte um pouco da sua história – pediu José.

– Sou o caçula da família. Todos os meus irmãos seguiram a vocação religiosa, assim minha mãe concentrou em mim sua esperança de se tornar avó. – Raniero parecia se divertir com a própria história. – Eu tinha um amor especial por ela e não queria desapontá-la, mas o chamado ao sacerdócio era algo que eu considerava seriamente.

– Imagino a dificuldade que deve ter sido.

– Um dia, ao voltar do médico, minha mãe me chamou ao seu quarto. Após se sentar em sua poltrona predileta, me comunicou que estava com câncer de mama. Percebendo como fiquei abatido, disparou: "Raniero, você é minha última chance de eu ter um neto, antes de partir para junto de Deus."

– Nossa, ela pegou pesado!

– Muito. Você não sabe como são as matronas italianas – disse Raniero, rindo. – O problema é que, naquela época, já havia decidido ser padre. Como o momento era complicado, decidi não contar logo à minha mãe.

– Como fez, então?

– Consegui um emprego no comércio local, como gerente de uma loja de ferragens. Foi uma etapa dura da minha vida, pois, naquele mesmo ano, um grande amigo meu ingressou na ordem franciscana.

– Sua mãe ficou curada? – perguntou José.

– Ela fez mastectomia e ficou bem. Mas, então, ocorreu algo inesperado. Um dia, enquanto caminhava para o trabalho, comecei a sentir fortes dores abdominais. Precisei ir ao médico da cidade. Ele pensou que se tratava de uma úlcera ou coisa similar. Prescreveu uma medicação. Os remédios não deram resultado e, numa sexta-feira, acabei indo parar na emergência de um hospital de Bari e fui internado. Quando os exames ficaram prontos, os médicos constataram um câncer no meu intestino, em grau avançado. A equipe médica não acreditava muito em minha recuperação. Minha família ficou apavorada.

– Você achou que fosse morrer?

– Sinceramente, não pensava na minha morte. Em minha cabeça, apenas um pensamento era dominante: queria me tornar sacerdote antes que fosse tarde demais. Aproveitei que a família estava toda ao meu redor no hospital e revelei que meu maior desejo era me tornar padre.

– Como sua mãe reagiu?

– Meus irmãos comemoraram de imediato. Disseram que Deus iria me curar para que eu fosse mais um discípulo em sua obra no mundo. Meus pais permaneceram calados. Olhei nos olhos de minha mãe e lhe pedi a bênção. Ela ficou alguns segundos em silêncio, depois assentiu, aos prantos. Pronto, estava livre para seguir meu caminho! O único problema era minha doença fatal.

– Um problema considerável, não é? – indagou José.

– Na verdade, foi a solução. Por causa da doença, São Miguel entrou em minha vida.

– Como?

– O capelão do hospital era um padre miguelino de idade avançada. Pedi que ele me visitasse, para eu me confessar. Após me dar a absolvição dos pecados, ele fechou os olhos e ficou um instante calado. Com a voz baixa, me perguntou: "Se o general da milícia celeste providenciar sua cura, você aceita se tornar um dos sacerdotes miguelinos?" Sem pestanejar, respondi que seria uma grande honra. Sem abrir os olhos, o padre se levantou e iniciou uma bela oração, clamando pelo poder do arcanjo guerreiro. Senti minha pele se arrepiar e, ao lado do sacerdote, vi surgir uma luz oval, mais alta do que ele, de tom vermelho-claro. Pensei que estava tendo uma alucinação. Esfreguei os olhos, mas a visão não se dissipava.

– Você costuma presenciar fenômenos místicos?

– Não – respondeu Raniero, sério. – Depois de aproximadamente um minuto, vi parte daquela luz tomar a forma de uma espada e atingir em cheio minha barriga. Foi uma dor lancinante. O sacerdote encerrou a oração e chamou os enfermeiros.

– Quem era o padre?

– Padre Istvan, um dos grandes homens santos de nossa ordem.

– Meu Deus, você recebeu a bênção das mãos dele?!

José já ouvira falar do sacerdote, pois tinha fama de milagreiro.

– Naquela época, eu não fazia a menor ideia de quem ele era. Diante do fenômeno no quarto do hospital, obviamente notei que não era um homem comum. No dia seguinte, quando acordei, me avisaram que teria de passar por uma cirurgia delicada, para a retirada do tumor no intestino. Concordei e lhes informei que estava pronto.

– Você teve medo?

– Um pouco. Quando os médicos me abriram para extirpar o tumor que me devorava o intestino, nada encontraram.

– Impressionante! – exclamou José. – Não havia nada em você? Nem uma ferida?

– Meu estado era excelente. A equipe ficou pasma. Começaram a analisar todos os exames feitos naquele hospital, nos dias que antecederam a intervenção. Em cada um deles, estava claro que eu não tinha grandes chances de sobrevivência. Assim que o efeito da anestesia passou, todos os médicos vieram me ver no quarto. Queriam me comunicar que meu estado de saúde era perfeito, mas que não tinham uma explicação para o acontecimento. Com alegria, falei que podia esclarecer tudo. Contei-lhes sobre meu encontro com padre Istvan, porém eles não acreditaram no milagre.

༄

Havia algum tempo, antes mesmo do infortúnio que o abatera, José trazia consigo o desejo de passar alguns meses com seu amigo na Itália. Um período de descanso, oração e estudo. Infelizmente, sua futura estada em Foggia não era fruto de uma situação agradável.

Virando o retrovisor, o sacerdote checou sua imagem. Estava de terno e sapatos pretos e, na gola da camisa branca, via-se o colarinho clerical. Parecia razoavelmente alinhado, apesar da longa viagem. José queria passar boa impressão na chegada. Não se tratava de mera vaidade: havia aprendido com gente importante que um padre sério precisava se apresentar bem. O problema, no entanto, era o frio.

Não possuía um terno apropriado para temperaturas tão baixas. No Rio de Janeiro, onde morara nos últimos anos, os termômetros não se aproximavam nem dos 10 graus. A calefação do automóvel amenizava um pouco o frio, mas não era suficiente. Melhor teria sido se agasalhar da forma adequada, construindo camadas de proteção por baixo da camisa social branca. Infelizmente, tal providência ficaria para os outros dias. Naquele momento, não valia mais a pena abrir o porta-malas para procurar vestimentas quentes.

Tão logo começou a subida do monte, José sentiu que o pequeno Cinquecento engasgava, perdendo força. Parecia contrariar o desejo que ocupava a mente do sacerdote: chegar logo. Depois de lutar contra o veículo por alguns minutos, o padre desistiu. Evitando que o carrinho morresse antes de completada a missão, decidiu engatar a primeira marcha, a única que parecia atender às necessidades do frágil motor. "Carro italiano... Por que não aluguei um automóvel alemão?", pensou, aborrecido. Depois, se tocou de que o problema não estava na nacionalidade do veículo, afinal um dos mais rápidos e potentes do mundo era o Lamborghini, um esportivo caríssimo fabricado na Itália.

Como dizia o ditado, "devagar se vai ao longe". Além disso, as curvas surgiam, intermináveis, em ângulos muito fechados. Maior velocidade, naquelas condições, seria imprudência. Sim, desde garoto, a prudência era uma de suas qualidades, a ponto de irritar sua mãe.

―

– Deixe de ser medroso. Pule logo nessa água! Todo mundo está olhando e você está me envergonhando!

– Não dá para ver o fundo – respondeu o menino, desconfiado.

– Pule em pé, então. Ninguém se machucou. Seus amigos todos já estão na água. De onde veio esse seu lado medroso? De mim é que não foi. Só pode ter sido do seu pai.

– Mesmo caindo em pé, se estiver muito raso, posso me machucar sério. Amanhã nosso time tem uma partida importante, pelo campeonato de futebol dos colégios, e não quero ficar de fora por nada deste mundo, mãe.

– Vou ter que ir até a borda e te empurrar? Vai ser pior!

Com a cara fechada, Olga começou a andar, como um soldado marchando para o combate. Imediatamente, percebendo que não havia muita escolha, José respirou fundo e, com as pernas flexionadas e os braços encolhidos junto ao peito, pulou na piscina de águas naturais de coloração marrom.

∽

A lembrança fez com que José relaxasse um pouco mais ao volante, abrindo um sorrisinho. Voltando sua atenção para a estrada estreita e sinuosa, percebeu que, desde o início da subida, nenhum veículo o havia ultrapassado nem descido a montanha em sentido contrário. Sua irritação, ele finalmente admitiu, não fazia justiça ao percurso, belo como um quadro renascentista. Precisava dominar o mau humor antes da chegada.

Durante toda a sua vida, ele tentara prevenir riscos. Sempre procurou pensar com calma cada passo a ser dado, detendo-se em análises demoradas de cada variante. Tinha o hábito de examinar exaustivamente as hipóteses que poderiam resultar em um problema. Era um homem bastante precavido com suas palavras e atos. Como, então, podia se encontrar naquela situação tão grave?

"Meu Deus, como isso pôde acontecer na minha vida? Logo quando minha carreira estava no auge!", pensou, tirando a mão esquerda do volante e esfregando a testa de leve.

Esforçou-se para relembrar algum fato mais recente que indicasse uma mudança nessa postura cautelosa. Além do funesto erro, não recordou nada reprovável nesse sentido.

Parecia que, sem motivo aparente, a mão de Deus havia descido com força sobre sua cabeça. Um teste de mau gosto. Olhando em retrospecto, José começava a desconfiar que teria passado por aquela situação desagradável de qualquer maneira, não importando se as escolhas que fizera, nos momentos anteriores à derrocada, tinham sido ou não as melhores. Talvez existissem resultados absolutamente imprevisíveis na vida de um homem. Aquilo que o povo humilde de sua paróquia natal chamava de destino, no qual ele sempre se recusara a acreditar.

A mente de José retrocedeu mais longe no tempo, detendo-se no diálogo travado na casa de seus pais, 25 anos antes.

– Vou aprender italiano, mãe.

– Para quê? Seria melhor que aprimorasse seu inglês, que, aliás, anda macarrônico. Além disso, não me lembro de nenhum sociólogo italiano famoso. Então por que falar italiano? – questionou Olga, sarcástica.

– Macarrônico? De onde você tirou isso? Obtive todos os diplomas possíveis do inglês! E como não existe sociólogo italiano famoso? E o Domenico De Masi? Não diga uma coisa dessas por aí, vão pensar que lhe falta cultura.

– Quem é esse? Tem nome de cantor famoso. – Ela deu uma risada. – Pouco importa. Gosto mesmo é do Peppino di Capri! – exclamou, soltando outra gargalhada.

– Que absurdo! Ele é professor da Universidade de Roma, "La Sapienza", lembra? O lugar onde eu gostaria de estudar um dia.

– Se fosse para você aprender algo importante, que contribuísse para a humanidade, eu entenderia. Mas sociologia? Tenha paciência! Ninguém se interessa por isso. Estudar na Itália? Deveria buscar uma universidade nos Estados Unidos. E tem mais: se o tal Domenico fosse um jurista importante, médico renomado ou empresário de sucesso, eu apoiaria você. Agora, sociólogo, não dá! – exclamou ela, começando a ficar agressiva.

José a interrompeu, espalmando a mão na frente do rosto dela. Não podia deixar passar aquela oportunidade. Sua mãe precisava ouvir.

– Podemos voltar ao assunto?

– Que assunto pode ser mais importante, neste momento, do que sua escolha profissional? Sabe que eu e seu pai estamos muito preocupados com essa história de sociologia?

– Meu pai não me falou nada. Tem me tratado normalmente e não parece nem um pouco preocupado com a profissão que eu pretenda seguir. De onde tirou essa ideia? Não vamos nos desviar da questão, por favor. O problema é o seguinte: preciso aprender italiano.

A mãe estava dificultando ao máximo a conversa. Ele não podia perder a calma nem se deixar vencer pelo cansaço.

– Vai insistir nisso?

Ela cruzou os braços, de cara fechada, percebendo que o filho não iria se render.

– É minha intuição. Sinto que existe algo relevante para minha vida que passa pela Itália...

Ele sabia que o argumento não era bom, mas preferiu falar a verdade.

– Isso parece mais um dos seus caprichos. Você sempre foi um menino mimado. Por isso reclamo muito com seu pai. Ele é o culpado! Sempre passou a mão na sua cabeça – retrucou ela, aproveitando para atacar mais uma vez os dois homens de sua vida.

– Desde quando tenho caprichos? Não é nada disso. No fundo da alma, sinto que se trata de uma coisa importante para minha vida. Vai ser útil para mim.

O embate estava ficando complicado, especialmente devido à falta de argumentos racionais de José.

– Como é? No fundo da sua alma? Pensei que você fosse um cientista social, um homem engajado com o mundo dos fatos. Não é isso que gosta de dizer aos quatro ventos? Agora vem com essa fantasia? – bradou ela, estreitando os olhos. – "Intuição"? "Alma"? Vem para perto de mim, porque quero sentir o cheiro de seu hálito. Bebeu? Confesse logo.

Olga segurou o colarinho do filho para puxá-lo em sua direção. José afastou-a com jeito.

– Por favor, pare. Não sou disso. Não bebo – respondeu José, tentando controlar o tom de voz. – O que estou tentando lhe explicar é que tenho sido incomodado por esse pensamento há alguns meses. Agora que o ano letivo vai começar, acho que é o momento adequado.

– Sei...

A mãe lhe deu as costas e, suspirando, se dirigiu à porta de seu quarto. Tudo indicava que abandonaria a conversa sem dar uma resposta conclusiva a José. No entanto, virou-se de volta e, com a raiva estampada no rosto, declarou:

– Não concordo! Seu pai também não.

– Mas nem falei com meu pai! Como pode saber que ele não concorda? – questionou José, dando um passo para trás, assustado com a reação da mãe.

– Tenho trinta anos de casamento. Sei exatamente o que ele pensa. Garanto a você: ele não concorda.

Enquanto o pobre carro se esforçava para subir a montanha, aproximando-se do pequeno povoado, José ria sozinho. A recordação daquele episódio pitoresco alterara seu humor. Sentia saudades dos pais, apesar de tantas desavenças. Lembrava-se de como havia sido difícil obter o dinheiro para fazer o curso de italiano. Na época, a bolsa que recebia como estagiário de um órgão público municipal não dava para nada. Foram três dias de duras negociações com a mãe e da usual omissão do pai.

Ao embicar no topo do monte, José procurou, afoito, pelo santuário. Não o avistou. Abriu a janela do carro para tentar obter a informação de uma senhora idosa que, de vestido negro e lenço verde na cabeça, passava carregando uma cesta de palha com frutas. Olhando o estrangeiro nos olhos, sem manifestar qualquer apreço ou simpatia, ela indicou o caminho com a mão. Ele estava seguindo na direção correta. Um minuto depois, avistou o *parcheggio*.

– Senhor, é proibido estacionar aqui! – gritou em italiano o homem bronco, que saiu esbaforido da pequena cabine.

Com o braço estendido, ele barrou a entrada do veículo no estacionamento.

– Mas, senhor, sou padre. Fui convidado... – José começou a explicar em italiano, saindo do carro.

– Desculpe, padre! – exclamou o sujeito, sem graça, levando as mãos à cabeça.

Então, apontou a José o local em que seu automóvel deveria ficar.

– As chaves, por favor. O santuário é no canto.

O sol já havia se escondido atrás dos muros do povoado. Era possível ver, em meio à noite clara, um aglomerado de estrelas brilhando sobre sua cabeça. "Que céu incrível!", deleitou-se José.

O vasto e antigo cercado de ferro, que destoava das pequenas casas de paredes brancas, ainda estava aberto. José o atravessou e parou em frente à torre de pedra, situada à direita da entrada principal.

Baixando os olhos, voltou sua atenção para o pesado portão, que apresentava a imagem do arcanjo Miguel ao alto. Conforme informações recebidas de Raniero, ele deveria descer por uma escadaria de pedra, com incontáveis degraus. Inspirando o ar gelado da noite, José deu o primeiro passo em direção ao coração da gruta escavada na rocha.

Ele ajeitou o terno preto e o colarinho. Após pisar os primeiros degraus, José se recordou das palavras aflitas de sua mãe vinte anos antes, quando ele decidiu largar a carreira de sociólogo para seguir o caminho que hoje trilhava.

– Primeiro você cismou que seria sociólogo. Tudo bem, engolimos. Agora vem com essa? Assim você vai matar seu pai do coração.

– Pense bem, mãe: nossa família tem advogados, médicos, engenheiros, arquitetos, operadores do mercado financeiro e tantas outras profissões. Não tem nenhum padre. Seria uma honra, não acha?

– Pare! Só de ouvir você dizer essa palavra, sinto o estômago se revirar. Inicialmente, veio com a conversa de ser sociólogo. Aliás, eu, na minha sabedoria, já tinha avisado para toda a família que era algo passageiro. Eu sabia que era palhaçada sua. Agora conseguiu piorar a situação. – Com raiva, Olga levou as mãos à cabeça. – Quer mesmo ser padre? Inacreditável! Há pouco tempo você dizia para todo mundo que era ateu. Você lembra? Só pode estar louco! Vou procurar um bom psiquiatra para você. Deve ser algum problema genético que você herdou da família do seu pai.

– Eu nunca disse que não acreditava em Deus – José tentou explicar, ignorando as ofensas. – Apenas afirmei que não gostava das religiões. Também não acreditava em um Deus personificado, como é propagado pelos países cristãos.

– Então não era ateu? Era fingimento? Agora virou um dissimulado. Quanto desgosto!

– Não é bem assim, mãe – respondeu ele, desconcertado, tentando encerrar logo o debate inútil.

– Ou a pessoa acredita em Deus ou não acredita. Eu, por exemplo, acredito que, quando morrer, vou para debaixo da terra virar adubo. Nada mais. Você, pelo visto, não pensa mais assim. Que vergonha! O que minhas amigas vão pensar quando souberem que meu filho único vai virar padreco? Que desgraça se abateu sobre mim! Não vou ter uma longa descendência? Realmente, meu fim vai ser muito triste... Uma velha solitária, sem netos.

– Em primeiro lugar, não penso desse jeito. Sei que existe uma morada celestial, para onde sua alma irá quando você morrer. Quanto à questão de ter netos...

Quase enfiando o indicador no rosto de José, ela cortou seu discurso:

– Pare de bobagem! Cadê a prova dessa insanidade? Não existe! E tem mais: já que largou esse negócio de sociologia, aproveite e estude para ser advogado. Ainda dá tempo.

– Por quê? Não é digno ser padre?

– Você está brincando comigo, não é? Quem precisa de padre hoje em dia? – Olga deu uma gargalhada curta de desdém. – Alguém ainda acredita nesse tipo de bobagem? Isso é crença de gente sem cultura e sem inteligência, das regiões mais pobres do mundo ocidental. Você, como sociólogo, deveria saber disso.

– Não estou brincando. Você não entende? – José estava visivelmente chateado.

– Tudo bem, mas tenho certeza de que seu pai vai sofrer muito. Na hora em que receber essa notícia desagradável, deve cair durinho para trás. – Ela fez um gesto dramático em direção ao chão da sala.

– Não exagere. Ainda não falei nada com meu pai. Você não pode saber como ele vai reagir. Ninguém pode.

– Até hoje não aprendeu? Tem alguma coisa que não sei nesta vida?

– Gostaria que não se metesse na minha conversa com meu pai. Quero ter a chance de explicar toda a situação para ele. Durante o jantar, hoje à noite, pretendo comunicá-lo da minha decisão. Espero sinceramente que você não me atrapalhe!

José parecia ser atraído para baixo. As paredes de pedra eram frias. O ambiente era mal iluminado. Tudo fora moldado na própria rocha da montanha. Havia ali uma presença invisível e imponente. Dava para sentir na pele. Algo inegavelmente sobrenatural, que fazia os pelos da nuca do padre se arrepiarem a cada curva. O que seria aquela força?

Em pouco tempo, os olhos de José se acostumaram à falta de luz. Depois de poucos minutos, atingiu o final da descida. Viu-se em uma caverna espaçosa, com pouca iluminação. Seus olhos investigaram calmamente o local e notaram que mãos humanas o tinham transformado em uma igreja. Como não havia ninguém ali, aproveitou para se posicionar no genuflexório do último banco. A imagem de São Miguel, dentro de uma caixa de vidro iluminada, dominava a cena.

Cansado da viagem, o brasileiro fechou os olhos e espalmou as mãos na parte de trás do encosto do banco em frente. Abaixou a cabeça e soltou o ar com pesar.

– Pai do Céu, como pôde deixar que isso me acontecesse? Logo comigo, seu servo fiel! Aquele que largou a família e o conforto que tinha para ser seu soldado no mundo. – Fez uma pequena pausa para encher os pulmões. – Por favor, me diga alguma coisa...

José sofria, sem fazer ideia de como sua vida iria ficar. Levantando a cabeça para fitar de novo a imagem de São Miguel Arcanjo, sussurrou:

– E você, guerreiro da espada de luz? Será que está comigo nesta jornada? Sabemos que, no início, quando fui ordenado sacerdote, eu não acreditava em sua existência. Na minha mente acadêmica, você não passava de uma figura simbólica.

Olhando para o alto, prosseguiu:

– Perdoe minha ignorância, general da milícia celeste. Preciso muito de seu auxílio. A batalha é grande e venho sofrendo uma derrota após a outra. Estou sem forças. Cheguei aqui esgotado. Posso contar com seu socorro? Tenho alguma chance de vencer essa guerra? Durante minha viagem, questionei algumas vezes se valia mesmo a pena vir para cá, se seria uma boa opção morar um tempo em sua casa. Ainda não estou seguro de que fiz a escolha certa. Meus inimigos devem estar achando que desisti e fugi do campo de batalha.

José se levantou devagar. Com passos lentos e olhar fixo na imagem de São Miguel, aproximou-se do altar. Uma mureta baixa a separava dos bancos. Girando a cabeça para os lados, certificou-se de que não havia ninguém ali. Não resistiu: pulou a mureta e adentrou o presbitério. Aproveitou para tocar, com ambas as mãos, o vidro do receptáculo que conservava a imagem.

– Uma coisa posso lhe dizer, grande arcanjo – continuou o sacerdote em voz baixa. – Sei que, depois de tantos ataques violentos, já era para eu estar destruído. Tenho absoluta certeza disso. Meus inimigos me bombardearam com fúria. Até aqui, estão soberanos, dominando o combate. Apesar de eu estar ferido, no chão, a luta ainda não acabou. Conto com sua força para dar início a minha reação.

José parou junto à mesa do altar. Fez uma reverência, espalmou as mãos no tampo de pedra e encostou nele a testa. Então voltou os olhos para o teto da caverna e os fechou. Ergueu os braços e, da mesma forma que costumava fazer em suas missas, começou a rezar um Pai-Nosso. Dessa vez, em latim. Na parte final da oração, ouviu uma voz grave, masculina, acompanhando-o. Imediatamente, abriu os olhos para ver quem era.

– Boa noite, meu grande amigo, *il professore*! – saudou o homem, quando terminaram a oração. – Desculpe meu atraso em vir recebê-lo. Eu estava tomando banho, depois me deram o recado sobre sua chegada.

Padre José abriu um enorme sorriso e abraçou o outro sacerdote.

– Raniero! *Questo luogo è da vero bellissimo e potente! Mi piace moltissimo!* – exclamou ele, elogiando o lugar. – *Come stai?*

Com passos pesados, o gigante convidou o brasileiro a segui-lo.

– Falemos em português. Sabe como é: ninguém fala seu idioma nesta cidade e eu preciso praticar. Há três anos não o vejo. Que alegria!

– Verdade. Depois de passar uma temporada em seu país, lecionando em Roma, não imaginava que fosse retornar tão cedo. Para ser sincero, nunca pensei que, um dia, viria morar aqui, com os padres miguelinos, na casa de São Miguel Arcanjo.

Mais uma vez, a mente de José embarcou rumo ao passado, saltando para o dia em que contou aos pais que iria assumir temporariamente uma cátedra na Pontifícia Universidade Gregoriana, em Roma.

༄

– Isso é magnífico! Você é mesmo um grande professor! E sua carreira de sacerdote está a pleno vapor! – vibrou seu pai.

– Olha, José, tenho que admitir: nunca imaginei que a união de duas carreiras tão inúteis, de padre e professor, pudesse levá-lo tão longe – disse sua mãe. – Não dá para entender a vida mesmo...

José ignorou o comentário maldoso de Olga e respondeu ao pai:

– Obrigado! Essa experiência na Itália será muito boa para mim, como sacerdote e professor universitário. Deus está guiando meus passos em direção ao sucesso.

– Quanto tempo vai ficar na Itália? – quis saber Nelson.

– Penso que serão dois anos.

– Pelo menos o dinheiro que investimos em você, no tal curso de italiano, não foi jogado no lixo, não é? – comentou a mãe.

– Como tinha lhe dito, eu sabia que era fundamental aprender o italiano. Minha intuição estava certa. – José aproveitou para provocá-la.

– Intuição?! Sei... Na verdade, você é um menino mimado e sortudo – disparou ela, com olhar severo. – Menos mal que obteve algum sucesso nessa pseudoprofissão. Assim, ao que tudo indica, não precisarei ficar tão preocupada com seu futuro.

Dois dias antes desse diálogo na sala do apartamento dos pais, José presidira uma celebração solene em honra a São José, na qualidade de pároco de sua pequena igreja. O lugar era pobre, situado em uma área violenta da cidade do Rio de Janeiro, mas muito alegre. O povo da comunidade era fervoroso, com devoção especial ao santo. Frequentava com assiduidade as cerimônias, participando ativamente da vida espiritual.

Ao ingressar na sacristia após a missa, José se deparou com a secretária paroquial. Aflita, a mulher lhe pediu que atendesse logo o telefone. Gesticulando bastante, o sacerdote demonstrou sua impaciência com a mulher.

– Dona Iracema, primeiro falarei com todas as pessoas que estão esperando por mim. Diga ao sujeito para ligar depois, por favor.

A mulher, visivelmente nervosa, contestou a ordem:

– Não. Corre! O senhor precisa atender agora!

– A senhora não vê que estou falando com meu povo? Quem poderia ser mais importante? Peça à pessoa que ligue outra hora, por favor.

Arregalando os olhos para ver se ele compreendia a urgência do caso, a senhora sussurrou:

– Não posso fazer isso, padre.

– Por quê?

José encarou a mulher, bravo. Segundos depois, lembrou que Iracema nunca fora de exagerar. Havia algo errado.

– O cardeal Costa está na linha...

Lívido, José pediu licença e retirou-se da sacristia às pressas. Ao entrar no escritório, pegou o telefone de forma estabanada e o aparelho caiu no chão, fazendo um estardalhaço. Abaixou-se rapidamente e o colocou de novo na mesa.

Levando o fone à orelha, José se deu conta de que o cardeal Costa nunca havia visitado sua paróquia nem telefonado uma única vez. Nas poucas cerimônias oficiais da diocese onde se encontraram, ele lhe dirigira a palavra formalmente. Por que telefonar agora? Teria insultado alguém? O que um homem tão importante quanto o cardeal queria com um padre de uma comunidade carente? Será que a tão esperada visita enfim aconteceria? Isso seria um problema. Faltavam bancos decentes e pintura na igreja, sem contar que o caminho até ali era cruel, de terra batida, íngreme e difícil para qualquer veículo urbano. Preocupado, já imaginava os sapatos modernos e caros de dom Costa atolando na lama...

– Boa noite, Vossa Eminência! Desculpe a demora em atender. Acabei de celebrar a missa em honra do nosso santo maior. Estava cercado pelo meu povo quando a secretária da paróquia me chamou.

– Padre José, é uma satisfação falar pessoalmente com você.

Seu tom de voz era cordial. Apesar da fama de mal-humorado e duro, o cardeal soava afável na linha. Que estranho...

– Para mim, é uma honra atendê-lo. Em que posso ser útil? O senhor sabe que, por aqui, somos muito humildes. Não temos recursos, mas nossa vontade em servir a Deus é gigantesca. Pode sempre contar conosco para seus projetos.

– Sei muito bem. Têm chegado aos meus ouvidos relatos interessantes a seu respeito.

– Alguém comentou com o senhor sobre minhas obras? – perguntou José, desconfiado.

– Alguém? Não, *muita* gente. De todas as classes sociais.

– Como? Não estou certo se conheço tantas pessoas assim... – disse José sem refletir.

– Pensei que fosse professor em nossa universidade católica. Estou enganado?

– Não! Quero dizer, sim, sou professor de teologia lá. É uma honra fazer parte do corpo docente de uma instituição tão renomada – falou com sinceridade.

– Eu diria que é o melhor professor de teologia da minha diocese. Confirmaria essa informação?

O cardeal parecia falar a sério, mesmo porque, segundo relatos de companheiros do clero, brincadeiras não faziam seu estilo.

– Sinceramente, não posso lhe confirmar algo assim. – A voz de José deixou claro seu nervosismo. Onde um diálogo assim poderia dar? – Sou apenas um professor universitário esforçado. Procuro dar o melhor de mim aos meus alunos. Isso não faz de mim o melhor teólogo da diocese. Seria injusto para com diversos professores de alto gabarito que temos na cidade.

– Além de seu doutorado em teologia, sei que é formado em sociologia também, não é?

– Sim. Antes de me ordenar padre, fui sociólogo. Deixei esse ofício para servir a Deus.

– No início de nossa conversa, você me disse que estava dando atenção ao seu povo, pois havia acabado de celebrar a missa. Como definiria seu relacionamento com os paroquianos? Não precisa me contar que trabalha muito, isso é óbvio. Já sei que, na área em que está sua igreja, só temos você de padre, servindo a uma comunidade numerosa.

– Gosto muito daqui. Desde o dia em que cheguei, o povo me trata com muito carinho. Eles acatam tudo o que sugiro, além de apresentarem boas propostas de trabalho também. Somos uma família unida.

– Assim ouvi. Que bom! Acho que você é o homem que estou procurando.

– Eu? Desculpe perguntar, dom Costa: procurando para quê?

– Preciso enviar à Itália um professor doutor que seja sacerdote e tenha currículo e didática excelentes. Obviamente, deve ser alguém que trabalhe em minha diocese e, o mais importante, que possa nos representar bem. Trata-se de um convênio que firmamos com algumas dioceses e universidades italianas. Estaria interessado em passar dois anos lecionando na Itália? Ouvi que fala bem italiano. É verdade?

— Sim, falo italiano.

Então José ficou em silêncio, olhando para o aparelho telefônico, questionando se tudo aquilo era real.

— Ainda está na linha? Aconteceu alguma coisa?

— Sim. Estou aqui. Me desculpe! Estava ponderando sua proposta.

— Ponderando?!

O tom do homem não era mais tão cordial. Não parecia prudente contrariá-lo.

— O senhor me pegou de surpresa...

— Entendo. Bom, você tem até amanhã às oito da manhã para me dar uma resposta. Deus o abençoe.

O cardeal desligou de supetão. José poderia ter aceitado na mesma hora. Claro que gostaria de ir à Itália. A surpresa do convite, todavia, o travou. Ficou sem palavras por não acreditar que Deus poderia lhe dar tamanho presente. Sentado em sua sala, minutos após o encerramento da conversa com o cardeal Costa, o sacerdote decidiu ligar para padre Raniero.

O italiano ficou feliz da vida ao saber da notícia. Encorajou o amigo a fazer logo as malas e partir para a Itália. Ele poderia recebê-lo em Roma e lhe dar apoio para o que fosse preciso durante o período de adaptação. Enfim, era uma oportunidade única.

Na manhã seguinte, José telefonou para o cardeal, colocando-se à disposição para representar a diocese do Rio de Janeiro no tal convênio. Soube que lecionaria cristologia, como professor visitante, na Universidade Gregoriana.

No primeiro dia do mês seguinte, José estava dentro do avião que o levaria a Roma. O período na cidade seriam os dois melhores anos de sua vida.

A recordação foi interrompida pela voz potente de Raniero:

– Não imaginei que um dia como hoje fosse chegar. Não quero ofendê-lo, sei de sua grande competência como sacerdote e professor. Sei que gosta da Itália e do povo daqui. Imagino, inclusive, que muitas congregações católicas, não só de meu país, tenham lhe feito convites. Mas tudo o que está acontecendo, para mim, é uma grande surpresa! – exclamou o italiano, com um largo sorriso.

– Pois é...

– Você pedindo para morar na casa de São Miguel Arcanjo, com os padres miguelinos? Sabemos que o acadêmico, teólogo e sociólogo que habita em você nunca foi muito fã da crença em seres angélicos – disse Raniero, aproximando-se do amigo.

– Sim. Mas estou aqui justamente por causa de São Miguel.

– Não diga! – espantou-se, mais ainda, o italiano.

– Como lhe contei ao telefone, estou no meio de uma guerra. Nada melhor do que o grande general angélico para me auxiliar, não é? Além do mais, como a história é muito complicada, pensei que, vindo para cá, poderia me beneficiar dos seus conselhos.

– Sabe que pode sempre contar comigo. Mas vamos ao convento primeiro.

Com um gesto enérgico, o sacerdote alto e gordo convidou o outro a acompanhá-lo. Seguiram em direção à saída da igreja.

– Você deve estar com fome – disse Raniero. – A viagem de Roma até aqui é longa.

– Na verdade, não estou. Minhas preocupações embrulharam meu estômago.

O italiano, em tom brincalhão, tentou animar o companheiro:

– Por causa de seu sofrimento atual é que está tão magro? No Brasil não se come bem? Lembro-me das deliciosas refeições na casa de sua mãe. Deveria ter ido mais vezes ver a família.

– Não totalmente. Eu estava um pouco acima do peso. Achei melhor evitar os doces de que sempre gostei. No mais, você sabe que nunca fui de comer muito. – Um sorriso torto se formou no rosto de José.

– Está parecendo um faquir! Bom, de qualquer forma, vamos comer. Nosso quartel-general fica no andar de cima. Vê ali? – Raniero gesticulou com a mão grande e gorducha. – Aquela é a área de nosso pequeno convento. Veja que coisa especial: temos a bênção de morar dentro da gruta aberta por São Miguel. O refeitório fica no mesmo piso. Aquelas são as portas. Seu quarto será o do canto esquerdo. Foi preparado com muito carinho pelos meus irmãos de ordem. Somos, ao todo, quatro sacerdotes. Nesta casa, além de mim, estão os padres Haskel, polonês, John, americano, e Seiji, japonês. Bem-vindo à Congregação de São Miguel!

– Pensei que, fora você, todos os outros padres miguelinos fossem da Polônia.

– Não. Durante um tempo, a maioria era daquele país, mas, hoje, recebemos vocações de diversos lugares. Pela primeira vez aqui no santuário, temos um sacerdote nascido no Japão e outro nos Estados Unidos. Aliás, pode ficar tranquilo, você não terá problemas linguísticos, já que todos os padres daqui falam fluentemente italiano. Os sotaques variam, mas você vai se adaptar sem dificuldades. Vou apresentar você a eles daqui a pouco.

– Sim, será uma honra conviver com vocês. Tenho muito a aprender.

Os dois padres se dirigiram ao andar de cima, valendo-se de uma escadaria de pedra, bem menor do que a principal. José percebeu que Raniero, muito acima do peso e fora de forma, já estava esbaforido quando atingiram o piso desejado.

– É um verdadeiro alento poder passar esse tempo complicado da minha vida aqui com vocês. Não tenho palavras para agradecer tanta gentileza em me receber. Espero não ser um fardo.

– Fardo? Você é exatamente o que precisamos nesta diocese. Outra coisa: lembre que os melhores anos da sua vida foram vividos aqui, na Itália. Pelo menos foi o que você me disse! Quem sabe Deus está repetindo a mesma estratégia? Acho que você vai se surpreender positivamente, *professore*.

– Gosto do seu otimismo, mas não creio que seja assim. Desta vez, a Itália é um refúgio para um homem amargurado, perseguido e acuado por uma injustiça. Nada mais. Sou aquilo de que vocês não precisam: um problema.

– Nós, aqui do santuário, gostamos muito da ideia de ter você conosco. Até os sacerdotes das cidades vizinhas, que não o conhecem pessoalmente, o admiram, sabia? Isso é um bom sinal. As injustiças do mundo não têm força para suplantarem tudo. Abra o coração para as pessoas que o querem bem. Não fique remoendo um passado de dor. Vida nova, amigo!

– Por que me admiram? Como eu seria útil para os padres miguelinos? Nunca os encontrei...

– Ora, você é um grande professor! Lemos seus artigos aqui, na região. Inclusive, devo lhe avisar, todos estão ansiosos para escutar seus ensinamentos. Seu livro mais recente tem feito muito sucesso nas aulas de teologia, nos nossos seminários italianos. Você sabia?

– Não consigo acreditar. Não tenho contrato com editoras na Itália. Nada do que produzi foi traduzido para o italiano e vocês não leem em português. Quer dizer, você lê, mas os outros...

– Ah, matou a charada! Você tem um grande tradutor em solo italiano: padre Raniero! Tomei a liberdade de fazer três apostilas com base em seus livros. Costumo utilizá-las para meus alunos do seminário maior. Para minha alegria, outros professores me pediram cópias, que se espalharam rapidamente na nossa província. Você é famoso entre nós! Acredito que, muito em breve, alguma grande editora virá lhe fazer uma oferta. Precisamos dos seus textos por aqui – comentou Raniero, sorridente.

Desconfiado de que o discurso era um exagero do amigo, com a finalidade de acalentar seu coração, José apenas retribuiu o sorriso.

Os sacerdotes pararam em frente à grossa porta de madeira escura, que dava para o refeitório. Raniero fez menção de abri-la, mas recolheu a mão. Pousando-a no ombro direito de José, disse:

– Alegria, rapaz! O povo daqui está ansioso para conhecê-lo. Não sei o que se passou no Rio de Janeiro, mas não interessa para nós. Você tem a minha confiança. Sei do seu caráter. Os meus irmãos de ordem, por sua vez, confiam cegamente em mim. Assim, quero deixar bem claro: você está seguro conosco. Ninguém vai lhe fazer mal.

– Melhor deixar eu explicar primeiro, em detalhes, o que se passou comigo no Rio de Janeiro. Eu lhe disse apenas que respondi a um inquérito policial. Só que há mais coisas para contar.

– Você sabe como sou teimoso. Se está aqui, foi a mando de Deus. Não se discute mais isso. Espero que seu italiano esteja afiado. Não é muito comum recebermos uma celebridade em nosso povoado e, além dos padres, os paroquianos estão esperando por seus sermões.

– Não crie muitas expectativas no coração deles. Não sou especial. Você sabe... – José buscava o melhor momento para fazer o amigo ingressar no debate que lhe interessava.

– Tarde demais! – O italiano deu uma gargalhada.

– Espero um excelente convívio com todos. Se depender de mim, a harmonia será total. Agora, repito: nós dois sabemos que não sou importante. Deixe de bobagem! – comentou José, com um sorriso.

– Nunca esqueça que os irmãos da congregação se sentem valorizados por saberem que você escolheu nossa casa para experimentar uma diocese diferente da sua. Poderia ter ido para qualquer abadia ou paróquia, mas preferiu ficar conosco. Estamos honrados.

– Há duas razões para isso: São Miguel Arcanjo e meu tradutor oficial, o ilustre padre Raniero. Meus motivos são, no mínimo, egoístas.

– Chega de papo! Vou te apresentar aos outros padres e vamos jantar juntos.

– Sei que precisam comer e que têm hora para as refeições. Mas, antes de abrir a porta do refeitório, gostaria de lhe explicar a respeito da perseguição que venho sofrendo. Não podia ter contado pelo telefone, mas agora que estamos frente a frente, acho que é o momento ideal. Não quero que outra pessoa lhe dê informações erradas sobre mim – falou José, segurando o braço do outro sacerdote.

Precisava deixar tudo às claras antes de fazer parte da comunidade dos miguelinos.

– Sabe que pode me dizer o que quiser. Entre nós, não há segredos. Como padre, aprendi a checar todas as informações que chegam aos meus ouvidos. No seu caso, jamais concluiria nada sem antes conversarmos. Você é um homem verdadeiro, sem segredos. Se quiser, podemos tratar do assunto em uma confissão, amanhã. Há quanto tempo não se confessa? Daria a honra a este italiano peso pesado aqui?

– Não há necessidade, por enquanto. Assim que me decidir por uma confissão, você será o escolhido. Prefiro, antes de mais nada, lhe falar logo sobre o que causou meu afastamento do Rio de Janeiro. Não quero que seja pego desprevenido – insistiu José, cabisbaixo.

– Acho melhor comermos primeiro. Teremos muito tempo para isso. Além do mais, já conversei a respeito de sua prisão com nosso bispo, dom Marcelo.

– Com dom Marcelo? – indagou José, espantado.

– Sim. Acredito que você tenha algo interessante para me contar, que não estava nos autos do inquérito policial. Mas nada do que disser vai mudar a grande admiração que tenho por você. Não se condene. Você está aqui legitimamente.

– Será? Tem sido um tormento... Espere aí: você teve acesso aos autos?!

– Eu, não. Dom Marcelo.

– Meu Deus! Que vergonha.

– Chega desse papo! Com o estômago vazio, sou um ouvinte inútil.

O olhar do brasileiro estava tenso. Com um belo sorriso, o gigante prosseguiu:

– Não fique aborrecido. Sei que está passando por uma fase difícil. Acho importante que, em primeiro lugar, se sinta acolhido por todos. Queremos que sua cabeça esteja aqui, conosco, e não no Brasil, com as perseguições. Vamos focar na solução, e não no problema.

Com o rosto sério, Raniero encarou o amigo. José olhou para o chão, triste, e inspirou com dificuldade, assentindo. O padre italiano enfiou as mãos nos bolsos da calça preta e retirou uma carta com o brasão do Vaticano.

– Olha, já que tocou no assunto, existem questões relacionadas à sua vinda que você desconhece. Não quero te assustar, mesmo porque as interpreto de forma positiva. Você só consegue levar em consideração o tal inquérito policial que correu no Brasil e isso não lhe faz bem. Agora que está aqui, precisa entender que há coisas mais importantes. Por enquanto, prefiro que você se ambiente e compreenda que aqui é sua nova casa. Depois, com calma, vamos conversando sobre suas funções no nosso santuário. Há muito a ser feito.

– Que questões poderiam ser essas? Estou metido em outra enrascada? Não me diga que dom Costa fez recomendações contra mim...

Muito preocupado, José examinou bem a aparência da carta e ergueu os olhos para Raniero.

– Pare com essa mania de perseguição! Se o cardeal do Rio de Janeiro assinou sua liberação para vir morar conosco, deve gostar muito de você. Tudo o que você passou vai ser revertido em seu benefício. Isto que tenho em mãos é coisa boa. Não se esqueça do que está escrito em Hebreus 12, 10-11: "Nossos pais humanos, por pouco tempo, nos corrigiam, como melhor lhes parecia; Deus, porém, nos corrige para o nosso bem, a fim de que sejamos participantes da sua própria santidade. Na hora, qualquer correção parece não ser motivo de alegria, mas de tristeza; porém, mais tarde, ela produz um fruto de paz e de justiça naqueles que foram corrigidos."

– Só espero que eu não tenha que enfrentar outra batalha aqui, na Itália. Não aguento mais – disse José, ignorando a citação bíblica.

– Não tenha medo, você não terá problemas por aqui. Está sob a proteção dos miguelinos, com autorização do nosso bispo, dom Marcelo, e do seu, dom Costa. Outro dia, com calma, vamos conversar sobre o conteúdo da carta. Confie em mim: não se trata de algo ruim. Esqueça o Brasil e tudo por que passou nos últimos meses e vamos comer! – exclamou o sacerdote italiano, puxando o amigo pelo braço, em direção ao refeitório.

– Antes, será que, pelo menos, posso ler a carta?

– De jeito nenhum! Como falei, isso é assunto para outro dia. Não insista. Vamos comer agora!

CAPÍTULO II

Luzes

O corredor era longo, de paredes pardas, repleto de luminárias retangulares a perder de vista no teto. Rafael observava o fluxo de inúmeras enfermeiras e médicos, num balé confuso, de passos apressados. Nervoso, passou a mão pelos cabelos claros e decidiu ir até a máquina de bebidas que ficava no corredor seguinte. Inseriu as moedas e, enquanto esperava pelo café *espresso*, viu sua imagem refletida no vidro da máquina.

"Estou com 56 anos e cheio de cabelos brancos. Será que Deus vai permitir que minha família não se destroce, poupando a vida de Gabriela e nos dando a graça do nascimento de nossa filha?", pensou, exagerando na quantidade dos fios brancos.

Sua esposa vinha sendo preparada desde as quatro da manhã pela equipe médica e, havia poucos minutos, fora levada ao centro cirúrgico para extrair um tumor no cérebro. Médico neurologista renomado e experiente, Rafael sabia que Gabriela tinha poucas chances de sair de lá vitoriosa. Para piorar o quadro, ela estava grávida de uma menina. Seu grande amor, a rocha sólida sobre a qual sua vida se alicerçava, naquele exato momento enfrentava o anjo da morte. Rafael vivia um dos piores momentos de sua existência.

O tumor, diagnosticado há dois anos, havia dominado parte do cérebro de Gabriela. Causando dores de cabeça e tomando as rédeas de sua coordenação motora, ele a estava matando. Durante dois meses, Rafael foi o médico responsável pelo tratamento de Gabriela e se esforçou ao máximo para curá-la, mas sem sucesso.

Com o copinho de café na mão e um sorriso nos lábios, ele se lembrou do dia em que, caminhando no Aterro do Flamengo, distraído pelo movimento dos bondinhos do Pão de Açúcar, quase foi atropelado por uma bela morena, que vinha na direção contrária, correndo em ritmo forte. Gabriela, muito educada e sem graça, se desculpou por tê-lo feito perder o equilíbrio e cair nas pedras perto do mar. Assim que ele se levantou, ela pediu desculpas outra vez, sorriu e seguiu adiante com o exercício físico. Ainda desconcertado pelo acontecimento, vendo a corredora se afastar, ele pensou: "Que mulher linda!"

No dia seguinte, em seu consultório em Botafogo, no final da manhã, após atender um casal de idosos, recebeu uma paciente nova. A moça estava ali por indicação do Dr. Ricardo, um neurologista que trabalhara com Rafael durante alguns anos, em um hospital particular do Rio de Janeiro, e infelizmente havia falecido. Quando se levantou para acolher a paciente, levou um susto. Deu de cara com a corredora do Aterro do Flamengo. Ela sorriu, causando descompasso no coração do médico, e sentou-se na cadeira à sua frente.

Andando a passos lentos para não entornar o café, Rafael sabia que o infortúnio que vivia não era nenhuma surpresa. Desde o início da relação com Gabriela, tinha consciência de sua terrível condição de saúde. Naquela manhã, em seu consultório, quando analisou pela primeira vez os exames que ela lhe trouxera, concluiu, em silêncio, que provavelmente a moça não teria muito tempo de vida.

Terminando de beber o café, ele pensou: "Não posso me revoltar contra Deus. Eu sabia que nosso namoro, iniciado de modo inusitado numa peregrinação religiosa pela Europa, e agora nosso casamento, poderia terminar a qualquer momento de forma trágica. Mas não pude resistir aos encantos dela."

Com o passar dos meses, o tumor na cabeça de Gabriela evoluiu de maneira agressiva, além das expectativas médicas. Rafael lembrou-se do dia em que desistiu de ser o neurologista dela. Havia pouco tempo, tinham retornado de Roma, onde se casaram. Depois, ela contou que ele seria pai. Diante de tamanho envolvimento emocional, julgou que estava na hora de se afastar do caso da esposa. O Dr. João, antigo colega, assumiu o tratamento. As condições de saúde de Gabriela, todavia, rapidamente se deterioraram e o médico lhe comunicou que era inevitável uma cirurgia.

– Alô, Rafael?

– Oi, João! Tudo bem?

– Meu amigo, saíram os resultados dos exames da Gabriela. – O tom de voz do médico era preocupante.

– São muito ruins? – perguntou Rafael, nervoso.

– Infelizmente, não podemos mais adiar uma cirurgia. Sinto muito. Não há nada mais que eu possa fazer.

– Meu Deus! E o bebê? – sussurrou Rafael, sem forças.

– Precisamos de uma equipe muito boa para fazer a intervenção. Há alguma chance de salvarmos as duas vidas. – João preferiu ser direto e otimista.

– O que você sugere?

Rafael não queria perder tempo, mesmo porque sabia que a craniotomia era inevitável. O momento havia chegado.

– Você ainda trabalha com o Dr. Kamel? – quis saber João.

– Sim. Ele é o neurocirurgião-chefe do Hospital Santa Rita. Volta e meia nos encontramos no refeitório. Nos damos muito bem.

– Acho que ele é a única pessoa capaz de realizar a cirurgia com sucesso. Você precisa falar com ele o mais rápido possível.

– Claro. Vou tentar. Ele é um homem muito ocupado e vive dando palestras pelo mundo inteiro. Mas contactá-lo não é problema, tenho seu celular. Espero que ele possa assumir o caso da Gabriela, pois tem pacientes demais.

– Você é o melhor neurologista da cidade, Rafael. Todo mundo sabe. Tenho certeza de que ele vai lhe fazer uma concessão. Seja como for, estarei aqui para o que vocês precisarem. Não deixe de me dar notícias. Pode me chamar a qualquer hora.

– Muito obrigado, João. Você é um grande amigo!

Os dois se despediram. Como o relógio indicava nove horas da manhã, Rafael decidiu agir de imediato. Pegou as chaves do carro e desceu em disparada pelas escadas do prédio. Chegando ao hospital onde trabalhava, procurou o Dr. Kamel. Foi informado de que ele estaria em São Paulo, para um congresso, e que retornaria naquela mesma semana. Decidiu, então, telefonar.

– Boa tarde. Dr. Kamel?

– Sou eu.

– Aqui é o Rafael, neurologista-chefe do Hospital Santa Rita.

– Oi, Rafael! Quanto tempo. Não seja tão formal comigo. Tenho sentido sua falta no refeitório.

– Verdade. Nossos horários não têm coincidido ultimamente.

– Em que posso ser útil?

– Minha esposa tem um tumor cerebral em estágio bem avançado. Eu e o neurologista dela, Dr. João Castro, chegamos à conclusão de que a cirurgia é inevitável; do contrário, ela falecerá em pouco tempo.

– Meu Deus! Não sabia. Sinto muito.

– Precisamos muito de sua ajuda. Poderia, com sua equipe, assumir o tratamento dela?

– Claro! Pode contar conosco.

Rafael pigarreou.

– Há um detalhe importante no caso da Gabriela.

– Qual?

– Ela está grávida de uma menina.

– Meus parabéns!

– Estou apavorado, Kamel. Temo perder as duas de uma tacada só...

– Não diga uma coisa dessas. Se ainda nos resta a cirurgia, não jogamos todas as cartas. Vamos ter confiança. Você terá sua mulher e sua filha. – A voz do homem soava firme e tranquila.

– Com você no comando, fico mais calmo. – Rafael deu um suspiro sofrido.

– Quando posso ver a Gabriela?

– O pessoal da secretaria do hospital me disse, há poucos instantes, que você está em São Paulo. Então, assim que voltar, posso levá-la ao seu consultório.

– Ótimo. Volto amanhã. Pode ser às duas da tarde?

– Claro – respondeu Rafael, mais animado.

– Espero por vocês amanhã. Um abraço.

Logo que desligou, Rafael sentiu uma grande esperança. Kamel era a única pessoa, em todo o planeta, em quem confiava totalmente para remover o tumor da Gabriela. Deus lhe tinha sido favorável até ali.

Após a consulta no dia seguinte, o renomado neurocirurgião fez uma requisição.

– Não tenho como solucionar esse caso sozinho.

– Do que você precisa?

– Da Dra. Maria da Graça. Num caso complicado como o de vocês, ela é a obstetra que eu gostaria de ter ao meu lado durante todo o procedimento.

Ao ouvir isso, Rafael abriu um largo sorriso.

– Não podia ouvir notícia melhor. Ela é justamente a médica que vem acompanhando a gravidez da Gabriela. É minha colega no Hospital da Guanabara.

– Que bom! Então posso ligar para ela e acertar os detalhes?

– Por favor.

Assim, a data para a extração do tumor foi marcada. Rafael telefonou para Irene, tia de Gabriela. Logo após, entrou em contato com as pessoas mais próximas do casal: Ana e Tereza (que conheceram durante a peregrinação na Itália), Carol (amiga de faculdade de Gabriela) e os padres José e Antônio. Precisavam contar com todo o apoio possível para passar por aquela tempestade.

Quando começou a namorar Gabriela, Rafael acreditou que, enfim, poderia ser feliz. Deus lhe tinha enviado uma mulher especial, bela e inteligente. Era um médico de prestígio, chefe da neurologia do melhor hospital do Rio de Janeiro. Em seu consultório, as pessoas enfrentavam uma fila considerável para conseguir uma consulta. Enfim, dinheiro não era problema.

A saúde dela era a única aflição que experimentava. Na época em que Gabriela começou a se consultar com o Dr. João, Rafael ainda tinha remotas esperanças de que o tumor regredisse. Infelizmente, a doença só fez piorar e, ainda por cima, surgiu o desafio de trazer ao mundo Maria de Lourdes, sua filha.

Rafael se recordou das semanas seguintes ao retorno do casal da Itália. Especialmente, de um jantar em São Paulo, ao final de um congresso internacional de neurologia, do qual havia participado como palestrante.

– Na noite passada, sonhei que estava grávida de uma menina – começou Gabriela.

– Ainda bem que você tem consciência de que foi apenas um sonho, meu amor. Você tem 46 anos e eu já passei, há muito, dos 50! Apesar de sua aparência jovial, não creio que seu corpo esteja em condições de gerar uma criança. Os óvulos envelhecem, sabe?

Logo que terminou a frase, Rafael se arrependeu do que tinha dito. A expressão da esposa se abateu.

– Você exagera muito nessa questão da idade. Além do mais, você sabe que, para Deus, nada é impossível.

– Sim. Mas será que é isso que Ele quer de nós? Uma criança com dois pais velhos?

– Já se olhou no espelho? Você ainda é um homem jovem. Tem vigor de sobra para educar e dar amor a uma criança.

– Nossa aparência física não muda a idade de nosso corpo.

Desgostosa, ela encarou o marido com uma expressão séria. O casal permaneceu em silêncio por um instante. Considerando a indignação da mulher, Rafael decidiu resolver a questão de uma vez por todas:

– Você realmente quer que tenhamos um filho?

– Quero muito – disse ela, com um olhar intenso.

– Não queria trazer assuntos desagradáveis para o jantar, mas precisamos considerar outro fator, além de nossa idade: seu tumor. Se ele atingir determinado tamanho...

Arriscando arruinar a noite, Rafael fez a tentativa final, na intenção de que ela desistisse.

– Creio que Deus tem um plano para nós, e ele envolve uma família completa, do jeito que eu sonhei. Eu te pergunto: temos fé e coragem para isso ou não?

Sua voz era pura determinação. Ele percebeu que não venceria aquele debate.

– Então você está consciente da sua doença e da nossa idade?

– Exatamente.

– Tem absoluta certeza de que isso vai dar certo?

– Tenho.

– A partir de hoje, estamos disponíveis para Deus. Que Ele mande, através de nós, mais uma alma para este mundo!

Ao ouvir o marido, Gabriela quase se atirou em cima dele para lhe dar um beijo.

Mais ou menos cinquenta dias depois daquela noite, numa manhã de domingo, Gabriela revelou que estava grávida. Surgiu no quarto segurando a prova na mão esquerda: o teste comprado na farmácia. No quarto mês, descobriram que se tratava de uma menina. Rafael secretamente pensou em fazer uma homenagem à Virgem Santíssima e ao santuário francês que morava no coração de Gabriela: o nome seria Maria de Lourdes!

∽

Depois do café, Rafael voltou para o banco onde estava sentado. Seus pensamentos continuavam concentrados em Gabriela. Uma boa psicóloga, mulher religiosa e caridosa, que já tinha sofrido bastante na vida. Havia perdido o pai, Carlos, poucos meses antes de seu primeiro casamento. Passara por um divórcio complicado com Eduardo, e logo em seguida soubera que a mãe estava com uma doença que, por fim, a matou. Não fazia sentido Deus lhe enviar mais uma provação. Que função teria esse tumor no cérebro? Um teste para sua fé? Isso já ocorrera outras vezes.

Rafael tinha noção de que a tarefa da equipe do Dr. Kamel não seria nada fácil. Operar o cérebro de uma mulher grávida com certeza não era um procedimento rotineiro. Por ser médico, sua mente lhe repetia a todo instante que as chances de sua esposa e filha saírem vivas e sem sequelas do centro cirúrgico eram bem pequenas. Diante das probabilidades, achou melhor não aceitar o convite que o colega lhe fizera uma hora antes. Não desejava, em hipótese alguma, assistir à intervenção na cabeça de Gabriela.

Além de toda a tensão que experimentava, aquela situação terrível lhe relembrava a dor e o medo que havia sentido durante os dias que antecederam a morte do pai, o condecorado brigadeiro da Força Aérea americana, Mark Connors. Com câncer, em estado terminal, ele vivera seus últimos dias sob os cuidados de Rafael.

– Pai, tenho muita saudade da minha mãe.

O menino de 13 anos atravessou a sala, interrompendo a leitura que Connors fazia do jornal de domingo.

Vendo os olhos marejados do garoto, Mark colocou o jornal de lado e convidou Rafael para sentar-se ao seu lado no sofá. Ele obedeceu. Enquanto olhava pela janela de casa para o jardim, deixou escapar uma lágrima. Com a mão direita, procurou enxugá-la às pressas, antes que o pai pudesse vê-la.

– Não tenha vergonha de chorar. Você está em casa – disse Mark, a voz suave.

– Quando você conheceu minha mãe, imaginou que ficaria viúvo tão cedo?

Ignorando o conselho, o menino se ajeitou no sofá.

– Eu estava passeando pelas ruas de Roma quando conheci sua mãe. A Segunda Guerra Mundial tinha acabado e o mundo parecia novo. Não poderia imaginar que ela partiria tão cedo.

– Sim, Roma. Ela me contou que vocês começaram a namorar lá.

– Foi muito especial.

– Não entendo como um aviador americano foi se apaixonar, em Roma, por uma militar brasileira.

A forma como o filho colocou a questão arrancou um largo sorriso do pai.

– A paz tinha sido firmada dias antes. Eu era capitão e estava de folga. Decidi dar uma volta pela cidade com meu grande amigo, Henry Bloom.

– O bispo?! – perguntou Rafael, espantado.

– Sim! – Mark deu uma gargalhada. – O arcebispo de nossa diocese.

O pai resolveu que era melhor explicar como tudo acontecera.

– Naquela época, Henry era tenente-aviador. Nós participamos juntos de várias operações de guerra. Servíamos no mesmo esquadrão. Ele ingressou na Ordem Religiosa dos Frades Capuchinhos meses após o fim da guerra. Pegou todo mundo de surpresa.

– Até você?

– Sim. Henry era um sujeito muito tranquilo e aberto. Contávamos um ao outro tudo a respeito de nossas vidas. Além do mais, ele não gostava muito de mudanças. Nunca imaginei que fosse abandonar a Força Aérea para servir a Deus. Sua transformação foi radical!

– Será que ele passou por alguma situação muito ruim durante a guerra?

– Nada específico. Todos nós sofremos muito. Perdemos alguns amigos. Mas fomos treinados para esse tipo de conflito. Não foi a guerra que fez Henry se decidir pela vida religiosa. Sua cabeça mudou depois do encontro que teve na Itália, logo após a rendição dos inimigos, com um dos grandes místicos da Igreja Católica: o padre Pio ou, se preferir, São Pio. Mas essa não é a história que você quer ouvir.

– Não. Quero saber mais sobre a minha mãe, mas é engraçado pensar que um homem tão legal como o bispo, amigo de todo mundo aqui no bairro, um dia foi aviador militar e bombardeou inimigos.

– Que bobagem! Nós, militares, somos todos gente boa. – Os dois riram. – Quanto às bombas, infelizmente fazem parte das guerras. Era nosso dever.

Mark se levantou do sofá, olhou pela janela para ver se a chuva que caía sobre Boston já havia cessado. Seu jardim continuava todo molhado. Virando-se, encarou o filho e prosseguiu:

– Naquele domingo, em Roma, tínhamos a intenção de ver as moças italianas. Enquanto caminhávamos pela Via del Corso, notamos três belas militares, fardadas de verde-oliva. Quando nos apresentamos, elas disseram que eram brasileiras. Uma delas era uma loura espetacular.

– Minha mãe?

– A própria. Beth. – Os olhos do brigadeiro brilharam ao lembrar da falecida esposa. – Ficamos o dia inteiro com elas, visitando pontos turísticos da cidade.

– Em que língua vocês conversaram? Minha mãe já falava inglês?

– Todas falavam muito bem inglês. Parece que tinham estudado aqui.

– Em Boston?

– Não! Em outras cidades dos Estados Unidos. – Mark, sorridente, fez um carinho na cabeça de Rafael. – Nosso namoro se iniciou em Roma, no dia em que eu e sua mãe fomos, sozinhos, ao Circo Máximo. Aquele foi um dos melhores dias de minha vida.

– Mas minha mãe me contou que o casamento de vocês e meu nascimento aconteceram no Brasil. Por isso sou brasileiro e americano. Não foi assim?

– Calma! Você pulou rápido demais da Itália para o Brasil.

– Queria entender melhor por que moramos aqui, já que eu e minha mãe somos brasileiros e vocês se casaram no Rio de Janeiro.

– Vou lhe explicar o que aconteceu. Logo depois que conheci Beth, precisei retornar aos Estados Unidos, para minhas funções habituais de oficial da Força Aérea americana. Ela também voltou ao Brasil, já que era enfermeira militar em um dos hospitais do Exército brasileiro, no Rio de Janeiro. Quando nos despedimos em Roma, completamente apaixonado, prometi que iria ao seu país para revê-la. Ela achou que eu estava brincando. Pedi a Beth que guardasse seu coração para mim durante o tempo em que estivéssemos separados. Ela disse que não podia ficar me esperando por tempo indeterminado. Perguntei por quanto tempo aceitaria me esperar. Ela pensou um pouco e me respondeu: seis meses.

– Como você podia saber que iria encontrar de novo minha mãe em seis meses, num país onde nunca tinha estado, cuja língua não falava?

– Sinceramente? Não tinha a menor ideia. Apenas coloquei na cabeça que iria dar um jeito de encontrá-la no Brasil dentro do prazo que ela me dera.

– Todas as vezes que escuto os seus amigos aqui em casa contando histórias suas na guerra, fico pensando: "Será que meu pai era tão doido assim?" Agora que soube do trato com minha mãe, tenho certeza: você era maluco mesmo!

– Sua mãe também achava!

Os dois caíram na gargalhada. Mais alegre, o menino pediu mais informações:

– Qual era seu plano? Ir até o Rio de Janeiro falar com meus avós e pedir minha mãe em casamento? Como fez para ser liberado pelo comandante?

– Vamos por partes, Rafael. Em primeiro lugar, meu objetivo era me casar com sua mãe de qualquer maneira. Só não sabia como iria concretizar meu desejo.

– Como foi parar no Rio de Janeiro?

– O pai de Henry era um dos oficiais mais conceituados dos Estados Unidos, o comandante de uma das bases mais importantes da Força Aérea americana. Um dia, ao ler o boletim informativo da base militar onde servia, descobri que ele estava selecionando oficiais para uma missão militar no Rio de Janeiro. Meu coração quase saiu pela boca.

– Que sorte!

– Mais ou menos. Havia um problema: a tal missão era para o pessoal da área de saúde. Algo relacionado ao treinamento das equipes que, em caso de guerra, serviriam nos hospitais de campanha.

– Você era aviador. Não tinha nada a ver com a missão!

– Verdade. – Mark abriu um largo sorriso e continuou: – Vou resumir a história: na cara de pau, fui até o brigadeiro Bloom, pai de Henry, e pedi que ele me incluísse na comitiva. No final, me dei bem. Ele topou.

– Como? Você não era médico nem enfermeiro! Por que ele iria levá-lo na comitiva? Conte direito essa história, pai!

– Está bem. Eu e Henry nos conhecemos na infância. Morávamos no mesmo quarteirão desde bem pequenos. Frequentamos o mesmo colégio e, depois, a academia militar. Eu vivia na casa dele, e ele, na minha. Quando eu soube da missão para o Rio de Janeiro, pedi ao meu amigo que me convidasse para almoçar na casa de seus pais, num domingo. Sem saber qual era minha real intenção, ele concordou.

– Outro dia, ouvi você e o bispo conversando a respeito do tempo em que o pai dele era vivo. Lembro-me bem de ter ouvido vocês comentando que o sujeito era uma fera, severo com seus comandados. Rindo muito, você disse que todo mundo tinha medo do homem. Não é possível que tenha decidido levar você com a comitiva da saúde!

– O pai de Henry era bravo mesmo! – Mark gargalhou. – Por isso, eu estava nervoso, mas tinha um trunfo na manga.

– Como assim?

– A mãe de Henry me adorava e tinha muita influência sobre o marido. Provavelmente era a única pessoa no mundo que não sentia medo dele. – Os dois riram outra vez. – Então, no meio do tal almoço, olhei para ela e pedi permissão para fazer um pedido ao seu marido. O brigadeiro Bloom, na hora, largou o garfo no prato para me encarar de modo intimidador. Simpática, ela sorriu e assentiu. Sem perder tempo, disse ao homem que queria muito fazer parte da comitiva que ele levaria ao Rio de Janeiro. Com medo da reação do pai, meu amigo se encolheu na cadeira e arregalou os olhos. O brigadeiro me lançou um olhar severo e perguntou se, além de aviador, eu tinha alguma formação na área da saúde. Respondi que havia servido, durante a parte final da guerra, como um dos principais pilotos da equipe de resgate dos feridos, com a incumbência de levá-los aos hospitais de campanha. Visivelmente irritado, ele ficou em silêncio me encarando. Foi aí que a mãe de Henry entrou em cena. Pousando a mão no braço do marido, ela disse que a comitiva não deveria contar só com médicos e enfermeiros, mas com alguém como eu, com experiência em resgate de pessoas em estado grave. Assim, a missão seria mais completa. Fazendo um gesto negativo, ele murmurou algo para a esposa, na tentativa de contestar seu argumento. Sem se alterar, ela tomou um pouco do vinho e disse ao brigadeiro que eu era perfeito para a missão e esperava que, na volta, eu fosse lá almoçar, para contar sobre a experiência no Brasil. Como sempre acontecia, ele obedeceu à mulher e mandou que eu me apresentasse na base militar no dia seguinte às sete da manhã.

– Inacreditável! Como você é sortudo.

– Sorte não existe. Sou filho amado do Deus Altíssimo. Por isso, sempre ganhei tudo o que quis na vida.

– Não tudo... Minha mãe...

– A partida de sua mãe não pode ser encarada como uma derrota para nós, Rafael. Depois de mais de dez anos de um casamento muito feliz, Deus decidiu que ela havia cumprido seu papel aqui na Terra e a levou para a morada celestial. Foram anos tão especiais com sua mãe que não posso reclamar. Ela, inclusive, teve tempo de te educar até os 9 anos. Graças a ela, você fala perfeitamente português e é um bom garoto. Até fisicamente, puxou a sua mãe. Sou um homem feliz por tudo isso.

– Não entendo como você continua indo à igreja, rezando todos os dias e falando bem de Deus, mesmo depois que Ele levou tão cedo minha mãe – comentou Rafael, num tom triste, magoado.

– Aprenda uma coisa: tudo o que está aqui na Terra pertence a Deus. Nada é nosso, nem mesmo nossa esposa, nossos filhos ou pais. Somos apenas os administradores dos bens deste planeta. O Pai Eterno nos concede a oportunidade de conviver com as pessoas que amamos, mas elas não nos pertencem. Todos nós somos d'Ele.

O trauma da perda prematura da mãe fez com que Rafael rompesse com Deus. Também foi determinante na escolha de sua profissão. Desde o dia em que ela foi enterrada, passou a acreditar que, se fosse um bom médico, poderia evitar mortes como a de Beth. Deus era uma ficção. Por fim, quando tinha 27 anos, depois de muitas idas e vindas, decidiu se mudar em definitivo de Boston para o Rio de Janeiro. Só voltou à cidade americana para cuidar do pai, que, muito debilitado pelo câncer, contou com seu amor e companhia no último mês de vida.

Além dos bens, Mark Connors deixou para o filho uma carta com a instrução de que só a abrisse após seu enterro. Nela estava seu último desejo: que Rafael visitasse o santuário mariano de Medjugorje, na Bósnia, com a mente aberta. Ele procurou uma agência de viagens especializada em peregrinações. Encontrou uma que o levou a Roma e, após alguns dias, ao destino determinado na carta de seu pai. Gabriela, sua bela paciente, por pura coincidência, fazia parte do mesmo grupo de peregrinos. Ela queria ir a Medjugorje para pedir a intercessão de Nossa Senhora Rainha da Paz. Buscava a cura definitiva para o tumor cerebral. Foi em Roma, como acontecera muitos anos antes com seus pais, que começaram o namoro. Aquela viagem foi um marco na vida de Rafael. Com a carta, talvez sem querer seu pai lhe dera um grande presente.

Enquanto caminhava de um lado para outro no corredor do hospital, esperando por alguém que lhe desse alguma informação sobre o andamento da cirurgia de Gabriela, Rafael se deparou com um rosto familiar. Antes que pudesse dizer qualquer coisa, ela começou a falar, esbaforida:

– Desculpe não vir antes, mas só consegui pegar o voo das oito, saindo de Congonhas.

A senhora de 73 anos se aproximou com passos velozes e deu um abraço forte nele.

– Irene! – ele conseguiu dizer, segurando o choro. – Já estava preocupado com você. Aconteceu alguma coisa? Você está bem?

– Fiquei toda enrolada e perdi o voo de ontem! Imagine: cheguei ao aeroporto por volta das seis para comprar outra passagem, e isso foi o que consegui. Cadê minha sobrinha? Já está no centro cirúrgico? Existe alguma forma de vê-la por uns segundinhos?

– Infelizmente, por pouco você não se encontrou com ela. Sua sobrinha acabou de ser levada pela equipe. Não dá para vê-la, eles já começaram os procedimentos.

– Ah, estou muito chateada comigo mesma... Ainda bem que consegui falar umas palavras de força para ela por telefone antes da internação.

– Fique tranquila. Todas as vezes que Gabriela ouve sua voz ou vê você, o coração dela se enche de alegria. Aliás, o meu também – comentou ele, abraçando-a de novo.

Com a tia de Gabriela presente, Rafael se sentiu mais confortado. Ela era uma mulher de fé e coragem, que encarava todas as situações com otimismo. Justamente o que ele precisava naquele momento.

Após o falecimento da mãe de Gabriela, Cristina, a irmã mais velha desta passou a ser a figura materna na vida da esposa de Rafael. Irene era cheia de vida, tinha uma excelente forma física. Professora aposentada de Educação Física da Universidade de São Paulo, também era formada em teologia pela Pontifícia Universidade Católica. Sua principal função nos últimos anos era de coordenadora de um grupo de orações da Renovação Carismática, que se reunia em sua cidade natal, na região dos Jardins.

Costumava vir ao Rio de Janeiro passar alguns fins de semana com a sobrinha. Rafael gostava muito de sua alegre presença em casa. Achava interessante sua teoria a respeito do poder de Deus e ouvia com atenção suas histórias sobre os milagres que dizia ter testemunhado.

– Sinceramente, parece que estou vivendo um pesadelo – desabafou Rafael.

– Não diga isso. Talvez essa cirurgia esteja dentro dos planos de Deus.

– Aí está o problema. Fico pensando que o plano de Deus é levar minha esposa e minha filha para o Reino dos Céus. Exatamente como ele fez com minha mãe, quando eu era criança, e mais tarde com meu pai.

– Os acontecimentos do passado nem sempre se repetem no futuro.

Percebendo o enorme sofrimento de Rafael, Irene pousou a mão em seu ombro.

– Será? O que estou vivendo hoje se assemelha muito ao que vivi com minha família. Uma situação de dor e morte. Parece uma maldição.

– Não acredito nisso. Na minha opinião, o Pai do Céu forçou essa operação no cérebro de Gabriela para que ela ficasse inteiramente curada e pudesse exercer sua maternidade em paz.

– Você só está me dizendo essas palavras por caridade.

– Desde quando sou mulher de dizer palavras por pura piedade? Só falo aquilo que sinto no meu coração. Estou profetizando: minha sobrinha sairá curada deste hospital, com uma bela criança no colo.

– Se é fato que o Criador tem tanto poder, como o povo gosta de dizer, poderia ter curado minha mulher com um estalar de dedos. Por que, até agora, não o fez?

– Ninguém sabe exatamente o que Deus planeja. Mas prefiro acreditar no que diz São Paulo, em Romanos 8, 28: "Sabemos que todas as coisas concorrem para o bem dos que amam a Deus."

– Não sei. Talvez Ele esteja me testando outra vez. O Pai Celestial pode ter achado que não me saí bem nos episódios das mortes de meus pais. Por isso, colocou mais uma perda no meu caminho.

– Não diga uma coisa dessas! Concordo que se trata de uma grande provação, mas Deus não é um pai malvado, que gosta de castigar os filhos.

– Não falei que era um castigo. Para mim, Ele é um pai educador. Se antes eu não soube enfrentar com dignidade a morte das pessoas que tanto amava, agora devo mostrar fortaleza. Mas a verdade, Ele que não me ouça, é que não tenho forças.

– Ele sempre quer nos ver lutando e resistindo. Acho que você está sendo bastante forte. Tem suportado uma pressão enorme durante todos esses meses.

– Só aguentei tudo porque estava ao lado da Gabriela e ela nunca fraquejou. Sempre foi a coluna que sustentava nosso lar.
– Você tem uma ideia errada de si mesmo, Rafael.
– Eu me conheço. Sou fraco. Estou destruído com toda a situação. Estou convencido de que Deus me enviou essa nova bomba para me educar.
– Como pode?! Um homem tão inteligente como você falando tanta bobagem! Enquanto esperamos o desfecho de tudo isso, devemos rezar. Você não quer me acompanhar na oração? – perguntou Irene, mostrando um terço com contas de madeira em sua mão direita.
– Sim. Acho que me fará bem. Podemos sentar ali.
Rafael apontou para uma fileira de cadeiras encostadas na parede do corredor onde conversavam.

Quando se aproximava o fim da oração, Rafael sentiu um cansaço enorme. Encheu os pulmões de ar, fechou os olhos e, sem que percebesse, começou a cochilar. Sonhou que o corredor onde estava tinha luzes esverdeadas, e não havia ninguém ali além dele.

De repente, uma jovem negra, bonita e alta surgiu, trajando roupas brancas. Permaneceu imóvel e em silêncio. Rafael a observou por alguns segundos, intrigado. Virando a cabeça, procurou por Irene, mas ela não estava lá. Confuso, decidiu falar com a mulher. Tentou se levantar, mas seu corpo não se mexeu. Simplesmente não lhe obedeceu! Algo parecia prendê-lo no assento. Agitado e temeroso, não percebeu a aproximação da mulher que, calmamente, caminhou em sua direção. Ela parou na frente de Rafael e, quando ele ergueu os olhos para lhe examinar o rosto, no mesmo instante o medo desapareceu. Aquela figura emanava bondade e transmitia segurança.

Rafael notou uma aura luminosa ao redor dela. Sua pele de ébano parecia brilhar. Pensou se tratar de alguém da equipe que estava operando Gabriela. Era sua chance de conseguir informações atualizadas do procedimento. Antes que pudesse formular as questões, ela falou:

– Bom dia! As pessoas o estão tratando bem aqui no hospital? – Sem esperar pela resposta, a desconhecida acrescentou: – Qualquer reclamação ou dúvida, pode falar comigo. Estou aqui para ajudar.

A mulher aparentava ser uns vinte anos mais jovem do que Rafael. Seu jeito de falar e o tom de voz eram de uma suavidade sem igual. Ao perceber a cordialidade da jovem, Rafael decidiu não perder tempo e foi direto ao ponto:

– Bom dia! Obrigado pela gentileza. Desculpe perguntar: você faz parte da equipe do Dr. Kamel? Não me recordo de tê-la visto antes.

– Pensa que não me conhece, mas garanto que já nos vimos antes – afirmou a moça, surpreendendo Rafael.

– Olha, tenho boa memória e realmente não me lembro de tê-la visto em lugar nenhum. – Ele foi enfático, mas educado. – Como é seu nome? Que função exerce no hospital? Estou muito preocupado com a cirurgia da minha esposa. Teria como me dar alguma notícia? Como ela está? E a bebê? Gostaria ao menos de saber se continuam vivas.

Rafael, ansioso, fincou as mãos na cadeira e, com esforço, conseguiu se levantar. A jovem respondeu com sua voz aveludada:

– Por ora, não há nenhuma novidade. Tudo está como antes. – Abrindo um sorriso reluzente, ela mudou de assunto: – Reparei, lá de longe, que estava rezando com uma senhora. Mas, mesmo a distância, observei um defeito na sua oração, com todo o respeito.

– Como disse?

O semblante de Rafael instantaneamente se transformou. O sangue começou a lhe subir à cabeça. A mulher devia ser louca: notou que ele estava ali, sofrendo sentado, sabia o motivo de sua presença no hospital, mas teve a ousadia de lhe afirmar algo estapafúrdio sobre oração.

Para evitar conflito, Rafael decidiu sair dali e procurar Irene. Antes de partir, entretanto, disse:

– Moça, estou aqui há horas e, caso não tenha percebido, sofrendo muito. Apesar de tudo, estou me esforçando para falar com Deus, ou seja, estou rezando! De repente, aparece você, que nem sei quem é, para censurar o que estou fazendo?

– Calma! Não precisa se exaltar. Estou aqui para ajudá-lo – replicou ela no mesmo tom tranquilo. – Se acredita que a oração tem o poder de reverter os acontecimentos do centro cirúrgico, é melhor se dedicar com afinco. Apenas recitar fórmulas que aprendeu durante a vida, como se fossem receitas de bolo, não vai produzir o resultado esperado. Entende o que digo?

– Você é muito abusada! – Rafael perdeu a paciência. – Como pode avaliar a qualidade da minha oração? Vou lhe avisar uma única vez: não estou para brincadeira.

– O problema está na sua formação, Rafael. Você é médico. Viu muita coisa ruim durante a carreira. Mas poderia ser de outra forma. Conheço muitos médicos que trazem a espiritualidade para seus trabalhos, alcançando resultados muito bons.

Ela segurou o braço direito dele e, com facilidade, o pôs de volta na cadeira. Espantado, Rafael percebeu que, contra sua vontade, estava sentado outra vez.

– Sei que você carrega o trauma da doença de seu pai. Nem poderia ser diferente, pois foi algo que o levou à morte. Você o viu definhar. Por tudo isso, está pessimista quanto ao desenrolar dos acontecimentos. Está focado no pior: a perda de sua mulher e de sua filha.

Desconcertado, Rafael freou seu ímpeto de sair dali. Como ela podia saber de tudo aquilo? Sabia até mesmo sobre a morte de seu pai! O sangue, que antes fervia, agora corria gelado em suas veias. Seu juízo estava enevoado, dividido entre fugir dali e querer ouvir mais do que aquela estranha tinha a dizer. Havia, definitivamente, algo de sobrenatural nela.

No fundo, aquela médica mal-educada tinha razão: sua oração estava permeada pelo medo. Aliás, só começara a rezar por convite de Irene. Mas, naquele momento, era impossível ser diferente! Ele era médico e humano, não podia se enganar como um leigo. Perderia a mulher e a filha em uma única cirurgia de alto risco. As chances de aquele dia terminar bem eram praticamente nulas. Sua oração, no fundo, não passava de um pedido para que o Criador consolasse sua alma. Nada mais.

– Como conheceu meu pai?

– Conheci a todos os que fizeram o bem e o mal a você. Sei do que estou falando. Como você, também sou médica. A diferença entre nós está na área de especialização. Grave o que lhe digo: o ambiente em que viveu e os acontecimentos ruins por que passou estão limitando o poder de sua oração, minando sua fé. O passado não pode subjugar o futuro. Irene tem razão no que lhe disse.

– Você ouviu o que ela me disse? Mas você não estava aqui. Acabou de chegar...

Ignorando a pergunta, a moça foi em frente:

– Não existe uma regra universal segundo a qual a repetição do passado é impositiva na existência de alguém. Apenas observe e aprenda com as experiências. Sirva-se delas para criar novas estratégias para uma vida melhor. Use-as para aprimorar aquilo que deu certo, mas descarte as fórmulas que levaram à derrota. Pense: se você não fosse médico, saberia com precisão as chances da cirurgia de Gabriela dar certo? – Rafael não respondeu. – Se não tivesse perdido seu pai em função de um câncer agressivo, estaria com tanto medo agora? Seu estado de espírito seria diferente? – Ele continuou mudo. – Você está condicionado pela dor. Precisa quebrar esse padrão, para que um novo paradigma surja em sua mente. A fé é o maior poder do homem. Use-a para se libertar. Mude de atitude, e tudo ao seu redor mudará.

Antes que Rafael pudesse fazer qualquer comentário, um estampido seco ressoou em sua nuca. Tudo ficou escuro por um segundo e ele acordou de supetão. Assustado, levantou-se da cadeira num pulo e vasculhou o corredor. Irene lhe tocou o braço.

– Calma. Você estava dormindo e, pelo que posso ver, teve um pesadelo.

– Desculpe. Apaguei sem perceber.

– Não tem problema. Estou aqui para cuidar de você e da Gabriela. Posso lhe dar uma sugestão?

– Claro.

– Vá para casa. Fico aqui em oração, e qualquer notícia que receba, lhe repasso imediatamente.

– Não posso sair daqui enquanto a situação não se resolver.

– Rafael, você está exausto. Vá para casa. Não adianta ficar aqui, agitado e nervoso. A cirurgia é complicada e vai levar muitas horas.

– Tem razão. Mas volto em duas horas.

– Tome o tempo que for necessário para se recuperar.

Cheio de adrenalina e com a sensação de que o corpo não estava alinhado com o espírito, passou as mãos pelos cabelos, deu um beijo no rosto de Irene e pegou o elevador. Achou melhor não comentar com ela sobre a experiência estranha que tivera durante o sono – talvez por não saber ao certo o que havia ocorrido.

Conseguia se lembrar do rosto da mulher com nitidez. Suas palavras também estavam marcadas em sua mente. Mais calmo, enquanto andava no estacionamento em direção ao carro, Rafael passou a refletir sobre as ideias que surgiram naquele diálogo estranho. O discurso da moça fazia todo o sentido. No momento de desespero, havia deixado que sua formação médica e traumas da vida guiassem os pensamentos, a ação e até a oração. Sem dúvida, moldavam seu futuro. Sua fé ficara em segundo plano e suas decisões estavam contaminadas pelo medo. Como mudar?

Enquanto manobrava o carro, lembrou-se de uma das missas de domingo de que participara ao lado da esposa. Durante a homilia, padre José, um precioso amigo do casal, dera um testemunho importante. Talvez ali estivesse a lição de que precisava.

∾

– Como sociólogo, eu enxergava tudo pelos olhos materiais. A espiritualidade era inexistente em minha vida – o sacerdote iniciou seu sermão. – Depois de passar por situações complicadas, derrotas, aprendi a valorizar a Deus e voltei minha atenção para a oração. Tomei consciência de que ela era o principal instrumento de comunicação entre Ele e os homens. Tive, então, a certeza de que precisava dominar a arte de rezar com eficiência.

Após uma pausa, prosseguiu:

– Durante um bom tempo, questionei qual seria o principal combustível para fazer com que minhas preces atingissem os ouvidos do Pai Celestial. Um dia, lendo a Bíblia antes de dormir, me deparei com a seguinte passagem, de Marcos 9, 23: "Jesus disse: Tudo é possível para quem tem fé." – Padre José abriu um belo sorriso. – Minha gente, todos compreenderam essas palavras? Elas significam que a boa oração, aquela realmente eficaz, se faz com base na fé, não nos sentimentos ou pensamentos.

Rafael enfiou a chave na fechadura de casa. Assim que entrou, pensou em como seria diferente se padre José estivesse no Rio de Janeiro. Teria um homem de confiança e coragem, bastante inteligente, para o auxiliar. Irene era maravilhosa, mas não era como seu amigo sacerdote. Infelizmente, ele estava muito longe. Havia partido para a Itália e lá ficaria por algum tempo. Passara por uma grande perseguição política após tentar salvar a vida de um homem que ele não sabia ser um criminoso.

Outro amigo do casal, que também poderia ajudá-lo na atual circunstância, em função de seus preciosos dons espirituais, era frei Antônio. Tratava-se do sacerdote que celebrara seu casamento. Porém, ele também estava em solo europeu. Rafael constatou, com pesar, que não havia mais ninguém versado nos assuntos da espiritualidade que pudesse trazer algum conforto para sua alma.

Sabia, no entanto, que se acovardar, fugir daquela provação, não era a resposta correta. Se fizesse isso, o Criador colocaria outro obstáculo em sua vida, com o mesmo significado, com a mesma intensidade de dor. Era melhor abraçar o sofrimento e tentar vencer a luta.

Da forma como estava vestido, Rafael caiu na cama e adormeceu.

Enquanto isso, no hospital, a Dra. Maria da Graça saiu apressada do centro cirúrgico, perguntando por Rafael. Percebendo que ele não estava lá, quis saber se havia ali algum parente de Gabriela. Prontamente, Irene se levantou da cadeira, avisando que era sua tia.

– A cirurgia de sua sobrinha ainda não acabou. Será um longo trabalho, mas minha equipe de obstetrícia conseguiu fazer o parto da menina com sucesso. Meus parabéns, a senhora agora tem uma sobrinha-neta!

– Como?!

Irene não sabia se chorava ou sorria.

– Sua sobrinha-neta nasceu – repetiu a médica com calma.

– Meu Deus! Como ela está? Posso vê-la?

– No momento, não. Suas condições não são boas. Precisamos colocar a menina na incubadora. Dependendo da avaliação que os pediatras farão, a senhora poderá vê-la em breve. Onde está Rafael?

– Ficou aqui o tempo todo, mas estava exausto e foi para casa. Deve retornar a qualquer instante.

– A senhora poderia comunicá-lo do nascimento de sua filha? Preciso retornar à sala de cirurgia. Diga a ele que, como médico, pode ir à incubadora assim que chegar, para ver a filha.

– Claro. Obrigada, doutora.

A médica já estava de saída, então deu meia-volta e acrescentou:

– Só mais uma informação. Rafael não me disse como iria se chamar a filha. Poderia me dizer qual é o nome da bebê? Precisamos colocá-lo na pulseirinha de identificação dela.

– Maria de Lourdes.

– Muito obrigada.

Então a mulher partiu apressadamente.

Com um enorme sorriso, Irene pegou o celular na bolsa e ligou para o número desejado.

Rafael acordou com o toque do telefone, pulando da cama.

– Irene? Aconteceu alguma coisa?

– Sim.

– Ela está viva? – perguntou com a voz grave.

– Rafael, não tem a ver com a saúde da Gabriela. A notícia que tenho é maravilhosa!

– Sério? O que é?

– Você acaba de virar pai! Que dia especial, não?

– O quê?

– Parabéns! Sua menina, Maria de Lourdes, acabou de nascer. A Dra. Maria da Graça acabou de vir falar comigo. Não pude ver nossa menina, pois a levaram para a incubadora.

– Estou indo para o hospital agora.

Nervoso, ele desligou e saiu.

Em poucos minutos, Rafael subia as escadas em alta velocidade. Rapidamente, alcançou o terceiro andar do hospital. Assim que passou pela porta que dava no corredor, deu de cara com Irene. Os dois se abraçaram, alegres. Fazia muito tempo que ele não sorria daquele jeito.

– Cadê minha filha? Posso vê-la? Já fizeram a craniotomia na Gabriela?

– Calma. Você faz perguntas demais! Vou lhe explicar as coisas em ordem. – Irene respirou fundo. – Os médicos decidiram primeiro salvar a vida do bebê. Agora vão se concentrar na minha sobrinha.

– Entendi. Desculpe minha ansiedade. Você já viu minha filha?

– Não pude. Os médicos não vão me deixar entrar na área onde está a incubadora. Mas a Dra. Maria da Graça disse que você tem passe livre, já que é médico.

– Então me espere aqui, que já volto com notícias de Maria de Lourdes.

Rafael partiu a passos largos.

Ele avistou as vidraças da maternidade e alcançou a porta de entrada. Uma enfermeira, que estava preenchendo algum tipo de documento, ergueu os olhos para ver quem havia chegado.

– Dr. Rafael? O que o senhor faz aqui?

– Olá, Carla! Que bom que é você quem está no comando da maternidade.

– Eu não! É a Dra. Viviane quem manda aqui.

– Acho que não a conheço...

– Quer entrar? Ela está lá dentro, cuidando dos bebês. Vai recebê-lo muito bem.

– Quero, sim. Minha filha está na incubadora. Acabou de chegar. Seu nome é Maria de Lourdes.

– Sim! Eu a recebi. Que alegria saber que sua filha está sob nossos cuidados! Parabéns!

Rafael entrou e logo viu a médica que chefiava o plantão. Quando ele se identificou, a mulher deu um sorriso.

– O senhor não deve se lembrar, mas foi o médico do meu pai. Ele tinha Parkinson.

– Verdade? Qual é o nome dele?

– Alfredo Becker.

– Claro! O grande enxadrista. Era um homem muito especial.

Ao ouvir as palavras de Rafael, a mulher se emocionou.

– Era, sim. Em que posso ser útil? Atende também recém-nascidos?

– Não. Na realidade estou aqui para ver minha filha, Maria de Lourdes, que nasceu prematuramente.

– A pequena que acabou de chegar? Meus parabéns! Foi a última criança que recebemos aqui. Está naquela incubadora – informou ela, apontando para o fim da sala, gesticulando para que Rafael a seguisse. – É uma alegria saber que estou cuidando de sua filha.

Ao chegar ao local indicado, Rafael sentiu o peito e as faces queimarem. Uma sensação incrível tomou conta de seu corpo, um amor incondicional, algo que nunca havia experimentado antes. A bebê estava de olhos fechados e vestia apenas fralda. Alguns aparelhos conectados faziam a cena parecer ameaçadora para qualquer ser humano. Na cabeça, havia uma leve penugem negra, que o fez pensar: "É a cópia da mãe." Apesar de tudo, a visão o deixou feliz: uma miniatura de Gabriela para lhe preencher a vida.

Rafael desviou os olhos da filha e encarou a Dra. Viviane. Ela começou, então, a explicar o estado de saúde da pequena paciente. Procurando demonstrar calma, ele assentia a cada frase que ouvia, mas seus olhos eram atraídos para a minúscula criatura dentro da máquina. Queria desfrutar cada segundo na companhia da filha. O nascimento, inevitavelmente prematuro, trouxera algumas consequências sérias para a menina, como a malformação dos pulmões e do aparelho digestivo. O coração da criança também era frágil.

Com tantas complicações, era difícil prever se a menina sobreviveria. Segundo ela, havia 50% de chance de vitória. Isso não era novidade para Rafael. Ainda que o tratamento desse bons resultados, era impossível apontar uma provável data para a alta de Maria de Lourdes.

Dizendo que precisava visitar seus pacientes, a médica se retirou e a atenção de Rafael se voltou integralmente para a recém-nascida.

Se alguém estivesse do lado de fora, espiando pela vidraça do berçário, poderia interpretar a cena do pai diante da filha doente como algo triste, se não fosse o sorriso de Rafael. Apesar de tudo o que ouvira da médica, ele estava alegre. Era pai. Aquele encontro com Maria de Lourdes era uma grande vitória. O rostinho da criança, com inegáveis traços de Gabriela, constituía seu maior incentivo para seguir lutando. Nesse ponto, Deus o agradara em cheio. Em meio ao sofrimento, Rafael sentiu-se presenteado e, pela primeira vez em muitos meses, amado pelo Criador. Durante uma das piores crises de sua existência, ele tinha recebido um presente inestimável.

CAPÍTULO III

Conflitos

O jantar transcorreu em paz. Os padres miguelinos manifestaram sua alegria em ter o brasileiro entre eles por uma temporada. Foram cordiais e simpáticos. A comida era excelente. Apesar da insistência dos demais, José não quis provar o vinho, pois detestava bebidas alcoólicas. Sua atenção, no entanto, não estava nas conversas à mesa. O motivo de sua saída do Rio de Janeiro martelava sua cabeça sem parar.

Recordava-se também da comunidade onde trabalhava. Visualizava com clareza o bairro pobre, em um ponto esquecido do Rio de Janeiro. Sempre fora querido lá. Tinha uma vida estável e prazerosa. Servia feliz com aquelas pessoas, apesar da distância que era obrigado a percorrer para chegar à paróquia nos dias em que lecionava na universidade católica. Aquele sábado, entretanto, havia mudado sua vida para sempre.

José tinha celebrado a última missa do dia. Já estava escuro do lado de fora da igreja quando desceu o morro a pé, para pegar um ônibus no ponto mais próximo. Ao cruzar um beco pouco iluminado, se deparou com três policiais militares armados e um jovem que aparentava ter algo em torno dos 20 anos. Trajando apenas bermuda e chinelos de dedo, ele estava encurralado, com as costas contra a parede de um bar. Seu olhar de pavor era intenso. Um dos policiais, com o braço direito estendido, apontava a arma à queima-roupa para o rosto do rapaz, enquanto outro, com passos extremamente cautelosos, se aproximava para lhe colocar algemas.

– E agora, vagabundo? Vai tirar onda com a nossa cara? Vai mandar a gente sair do seu morro? Cadê os tiros que você ia dar na gente? – perguntou, aos berros, o policial que apontava a pistola.

– Eu não disse nada! Não fui eu! Nunca dei tiro em vocês!

O rapaz tremia da cabeça aos pés.

– Chegou sua hora, marginal! – bradou o outro policial.

Sem pensar nas consequências, José apertou o passo e se atirou sobre o braço do policial. A pistola disparou e a bala se alojou na parede externa do bar. Os dois foram ao chão. Na confusão, o sujeito fugiu por um beco e o policial das algemas atacou o padre. Uma coronhada na nuca fez com que o sacerdote perdesse os sentidos.

Quando recobrou a consciência, José percebeu que estava algemado e deitado no banco de trás de uma viatura.

– Por favor, me soltem! – gritou o padre.

– Cala a boca! Você atacou um PM. Está preso – avisou o policial no banco do carona.

– Eu sou padre. Não podem me prender assim, sou um homem de bem!

– Padre? Conta outra! – retrucou o policial ao volante, virando a cabeça na direção de José, para examinar melhor suas vestes.

O sacerdote estava de camisa polo e calça jeans. Por causa do calor, não costumava andar de terno e colarinho, muito menos de batina, como costumam fazer alguns padres. A única prova de sua conexão com a Igreja era o documento na carteira.

José estava bastante nervoso, mas procurou falar num tom moderado:

– Estou dizendo a verdade. Abram minha carteira. Peguem minha Carteira de Identificação Eclesial e leiam o que está escrito!

– O documento desse infeliz está aí, Marco?

– Espera, vou olhar. Achei a carteira dele aqui.

– Existe alguma coisa dizendo que ele é padre?

– O sujeito se chama José. Cara, o homem é padre mesmo! É a primeira vez que vejo um padre marginal! – exclamou o policial, gargalhando em seguida.

– Vamos levar o elemento logo para o delegado – sugeriu o outro militar. – Isso pode trazer mais problema pra gente.

Depois de vinte minutos, José foi introduzido na sala do delegado titular da 149ª DP. O homem de cabelos brancos e desgrenhados vestia camisa social e calça jeans e estava visivelmente irritado com o calor, pois o ar-condicionado do lugar tinha quebrado.

– Por que me trouxeram esse homem? Vocês sabem muito bem como resolver esse tipo de coisa. Não veem que estou muito ocupado? – perguntou o delegado ao escrivão.

– Doutor, o problema é que ele atacou um policial – respondeu o funcionário, constrangido com aquela situação inusitada.

– E qual é a novidade? Estamos no Rio de Janeiro, isso acontece todos os dias.

– Sim, doutor, mas ele diz ser padre. Pior: quando atacou o policial, ajudou o Mineirinho a escapar. Logo o traficante mais procurado da cidade...

O delegado levou as mãos à cabeça, respirou fundo e olhou com ódio para os que estavam na sala. O rosto vermelho denunciava seu estado de humor. Ele se inclinou para a frente, apoiando os cotovelos na mesa.

– Diz ser padre ou é um padre de verdade? – perguntou o delegado em voz baixa, contendo a raiva.

– As duas coisas, doutor.

Percebendo que o chefe não havia gostado nem um pouco da resposta, o escrivão acrescentou rápido:

– Aqui está a identidade dele.

O homem estendeu o documento.

– Pode deixar aí na mesa – retrucou o delegado, sem se mover.

Depois de fitar a identificação do preso, levantou-se da cadeira e examinou detidamente José. Sem falar com o sacerdote e sem pedir outras informações, chamou sua secretária. Uma mulher jovem surgiu pela porta, esbaforida.

Já mais calmo, o delegado pediu:

– Ana, por favor, procure o telefone do gabinete do cardeal do Rio de Janeiro, dom Costa. Ligue para lá e explique que é da delegacia, que temos um padre preso aqui. Avise que preciso falar com ele urgentemente.

– Doutor, me desculpe, não sabia que o jovem era um traficante! – exclamou José, quebrando seu silêncio, e tentou, sem êxito, se explicar: – Reagi por instinto. Pensei que os policiais iriam matá-lo. Sou padre...

Sem trocar palavras com José, o delegado determinou ao escrivão que o levasse para o cárcere do corredor seguinte. O sacerdote foi trancado numa cela pequena, onde já estavam três homens. Não tinha a menor ideia de qual seria seu destino. Em pé contra a parede de cimento, observou que, tirando um sujeito sentado no canto esquerdo, ele era o mais velho dali. Acuado, com medo, decidiu rezar o terço enquanto aguardava algum comunicado de dom Costa.

Sentado no chão da cela, no canto oposto, um rapaz descalço e sem camisa, com os cabelos negros encaracolados, compridos e soltos, interrompeu a oração de José. Pela aparência, devia ter no máximo 25 anos.

– Ei! Você é padre mesmo ou é só um apelido?

– Não entendi. Apelido?

– Sim. Ouvi alguém gritar pro carcereiro: "Coloca o padre no xilindró!"

– Sou padre de verdade.

– Padre sem batina? Nunca vi... – replicou ele, desconfiado.

– Com o calor que faz na nossa cidade, hoje em dia são poucos os sacerdotes que andam por aí de batina.

– Não sabia. Não sou ligado nessas coisas de Igreja – comentou ele, aceitando a explicação.

Apesar do sofrimento e da ansiedade causados pela incerteza, José sabia que deveria se portar com dignidade, pois, como sacerdote, era representante de Deus onde quer que estivesse. Endireitando a postura, inspirou fundo e perguntou:

– Como é seu nome?

– Jurandir – respondeu o jovem, esforçando-se para enxergar com os olhos roxos e inchados.

Ele secou o suor da testa com uma velha camisa de clube de futebol. Estreitando os olhos para ver melhor, o padre se impressionou com o rosto machucado dele.

– Eu sou José – apresentou-se, forçando um sorriso.

– Mandaram o senhor aqui pra rezar a gente ou está preso também?

A dúvida do rapaz era pertinente. José percebeu a cara de espanto dos demais. Realmente, aquela não era uma situação comum. Como um padre poderia estar encarcerado?

– Infelizmente, estou preso como vocês.

– Nossa! Nunca ouvi falar em padre preso! O que o senhor fez? Matou alguém? – Jurandir não conteve a curiosidade.

Um burburinho se instalou no recinto. José procurou manter a pose.

– Não fiz nada de errado – falou com firmeza.

– Ah, foi exatamente isso que eu disse pro delegado! – ouviu-se a voz rouca de um homem ruivo no fundo da cela.

José percebeu o forte sotaque estrangeiro. Observou-o mais detidamente. Vestia calça jeans e camisa polo vermelha, ambas novas e de grife. Seus sapatos de couro tinham o mesmo aspecto. Não parecia pertencer ao mesmo grupo social dos outros. O que estaria fazendo ali?

– Tentei impedir que um PM matasse um jovem da minha comunidade. Outro militar, que estava fazendo a ronda com ele, pensou que eu o estivesse atacando, pois fiz um movimento brusco em sua direção. Ele me atingiu de algum modo e eu desmaiei. Quando acordei, já estava preso. Foi um mal-entendido. Acredito que tudo irá se resolver em breve.

Porém, José demonstrava pouca confiança. Em um ambiente como aquele, precisava exibir outra postura. Era fundamental passar uma imagem de tranquilidade, afinal de contas era um homem inocente – além de ser sacerdote.

– Opa, então o senhor é um de nós! – falou Jurandir, animado.

Todos, exceto o ruivo, gargalharam em concordância.

Apesar da piada, José percebeu que o clima, inicialmente hostil, havia se transformado. Melhor assim, preferia ser bem tratado pelos outros. Já que aparentavam estar interessados nele, talvez pudesse ser útil a Deus, tocando o coração deles com algumas palavras.

Quando o sacerdote estava prestes a pôr em prática sua ideia, Jurandir se antecipou:

– Sabe, já fui católico.

A declaração surpreendeu José. Era a abertura de que precisava para lhes falar um pouco sobre Deus.

– Isso significa que foi batizado na igreja, certo?

– Sim. Minha tia, que também é minha madrinha, me contou que fui batizado numa capela que fica no alto do morro, lá na comunidade onde nasci.

– E sua mãe? É viva? Estava no batizado?

A expressão do rapaz mudou imediatamente. José precisava ir com mais calma.

– Não sei. Na verdade, nem sei quem é. O pessoal lá de casa não fala muito dela. – respondeu Jurandir com rispidez, desviando os olhos do padre.

Ele estava bastante desconfortável com a conversa e, procurando ver a reação dos outros, começou a olhar para os lados.

José procurou consertar a situação:

– Desculpe minha pergunta, não quis me intrometer. Apenas queria conhecê-lo melhor. Gosto de saber quem são as pessoas com quem convivo.

– Tudo bem. – Percebendo a boa intenção do sacerdote, o olhar do jovem se suavizou. Mais tranquilo, voltou a adotar o tom ameno: – A única pessoa que até hoje cuidou de mim foi minha tia. Ela contou que minha mãe fugiu de casa quando era nova e me largou lá.

– Então sua tia, além de madrinha, também é sua mãe – concluiu o padre com um sorriso.

– Verdade – concordou o rapaz, sorrindo de volta. Era óbvio o amor que tinha pela tia.

– Olha, quanto ao fato de ser católico, saiba que a marca do batismo em você nunca vai desaparecer. Uma vez batizado, para sempre batizado! Por isso, aconselho que não fale dessa forma.

– Que forma? – Jurandir ficou confuso.

José não havia, inicialmente, percebido a limitação do rapaz. Era melhor explicar de forma mais clara.

– Não diga às pessoas que *foi* católico.

– Eu falo isso porque não pretendo entrar numa igreja nunca mais, padre.

– Por quê? Aconteceu alguma coisa ruim com você dentro de uma igreja?

– Não. O problema é a vida que escolhi. Não tenho coragem de entrar numa igreja porque fiz muita coisa errada. Os crentes gostam de falar que são filhos de Deus. Para mim, isso não existe. Deus não me quis como filho. Me maltratou desde que eu era pequeno. Por isso, não vai querer me ver pela frente. Como disse o policial que me prendeu, meu lugar é no inferno!

Ele sorriu com desgosto. Os outros assentiram.

– Sou padre e posso garantir que isso não é verdade. Deus está de braços abertos esperando seu retorno, Jurandir. Você é jovem, há tempo suficiente para que mude de conduta. Pode, inclusive, anular o que fez de mal aos outros praticando atos de amor. Por isso, não há necessidade de desistir assim. Se sabe que seu caminho não está correto, o que o impede de mudar? Tente uma nova direção. O inferno não é para você! Saiba que Deus te criou com muito amor. Então você tem um pai no Céu.

– Amor? Pai?! Não faço a menor ideia do que é amor. Muito menos ter um pai – rebateu Jurandir em tom agressivo.

José analisou melhor os olhos roxos do rapaz, bem como as feridas nas faces. Ele havia apanhado muito. Provavelmente vinha apanhando a vida toda. Tinha razão em um ponto: se o amor era um bem escasso em sua vida, como saber amar?

– Só sei que tive pai porque minha mãe não poderia ter me fabricado sozinha! Mas o nome do cara nem está na minha certidão de nascimento. Parece brincadeira, mas não é. Já li a certidão um monte de vezes.

O olhar de Jurandir era de ódio. José o observava em silêncio, pensando qual seria o melhor argumento para demonstrar ao jovem que sua vida tinha valor, e sua trajetória dali para a frente poderia ser diferente.

– Quando eu era moleque, queria muito saber o nome dele – continuou o rapaz. – Tinha esperança de que, a qualquer momento, iria conhecer meu pai. Saía pela comunidade perguntando pra todo mundo quem ele era. Planejava ir atrás dele, descobrir onde morava. – A expressão de dor marcava o rosto maltratado de Jurandir. – Ele nunca apareceu...

– Se me permite, esse é um exemplo de pai ruim, que não cuida dos seus filhos. Imagine o oposto: um homem bom, carinhoso, que te proteja em qualquer situação, que esteja ao seu lado em todos os momentos. Você consegue imaginar?

Após a pergunta, algumas lágrimas brotaram nos olhos do rapaz. Instintivamente, ele enterrou a cara na camisa surrada do clube, para que os demais prisioneiros não vissem sua reação. O silêncio na cela era absoluto. Estavam todos prestando atenção no diálogo entre o sacerdote e o delinquente. José percebeu que dominava a cena. Era um momento excepcional para exercer seu ministério.

– O único que teve pai de verdade por aqui foi o senhor. Olha pra gente! Somos a corja da cidade! – outro homem, baixo e gordo, de sandálias verdes e uma camiseta da escola de samba Unidos de Padre Miguel, rompeu o silêncio agressivamente.

– Como é seu nome? – perguntou José, sem se intimidar.

– Não interessa! Ninguém me chama pelo nome. Um cara ruim como eu não tem nome. Sou chamado de vagabundo e mais nada! – retrucou ele com a mesma aspereza.

Riu com desdém, mas, ao notar que todos o encaravam em silêncio, deu as costas e começou a cutucar a parede da cela com a unha comprida e suja.

Acostumado a se relacionar com pessoas difíceis em sua trajetória no clero, José se manteve calmo e insistiu com o homem:

– Não creio que seus amigos ou parentes chamem você de vagabundo. Pode me dizer seu nome?

O sujeito se virou lentamente e enfim respondeu em voz baixa, os olhos fixos no chão:

– Trator.

– Você acha que fica bem um padre te chamar de Trator?

– Quer mesmo saber? – ele elevou a voz, caminhando na direção de José.

Arrependido de ter insistido, o sacerdote deu um passo para trás, se preparando para ser agredido.

– Vítor. Pronto, falei! – gritou quase na cara de José. – Está satisfeito agora?

O homem respirou fundo e soltou o ar com força. Segundos depois, mais calmo, olhou José nos olhos e disse:

– Meu nome é Vítor. Se o senhor acha tão importante, não precisa me chamar de Trator.

José abriu um sorriso amistoso e pôs a mão no ombro dele.

– Não quero julgar quem entre nós teve o pior pai. O meu realmente foi bom. Sempre esteve presente quando precisei e me deu amor.

Ele sabia que essa descrição não era precisa. Seu pai havia sido omisso em momentos decisivos de sua vida. Mas, diante do sofrimento que cada um daqueles presidiários experimentara, seria ridículo reclamar das falhas do pai.

– Perto do pai de vocês, acredito que tenha sido maravilhoso – prosseguiu José. – Aliás, estou falando da forma errada. Ele ainda está vivo! Portanto, ele é um bom pai. Quanto ao assunto da paternidade, posso garantir que nenhum homem na face da Terra é tão bom quanto nosso Deus, o Pai Celestial.

– Ninguém pode garantir nada pra gente – interrompeu Jurandir. – Ainda mais coisas boas. Nessa vida, só tem coisa ruim esperando a gente...

– Sabem quem é Jesus Cristo? – perguntou José, ignorando-o, e todos assentiram. – Ele contou uma história muito interessante sobre o Pai Eterno que serve de exemplo para vocês. Gostariam de ouvi-la?

– Não tem muito que fazer por aqui – respondeu Vítor.

– Chama-se a parábola do filho pródigo.

– Quê? – Jurandir fez cara de interrogação.

– Vamos fazer assim: vou contar essa história do meu jeito, de modo mais atual, e depois dou explicações. Pode ser?

Quando todos concordaram, José ajeitou a roupa amassada e se encaminhou ao centro da cela. Queria que todos os homens ouvissem o que tinha a dizer. Do canto onde estava sentado, o estrangeiro o olhou com satisfação e abriu um sorriso encorajador. Os demais se mostravam atentos e curiosos. Deus o estava usando, José tinha certeza absoluta. Seria esse o motivo espiritual da sua prisão?

– Um fazendeiro muito rico tinha dois filhos – começou o padre. – O mais novo, um dia, decidiu lhe fazer um pedido: queria a parte da herança que lhe cabia. Pretendia ir embora da casa do pai e fazer sua vida de modo independente. O pai concordou e dividiu seus bens entre eles.

O estrangeiro ruivo o interrompeu, com seu sotaque carregado:
— Na minha terra não existe herança de pessoa viva, padre. Acho que aqui no Brasil isso também não é possível. Estou enganado?

Interessante, pensou José, um prisioneiro estrangeiro e com conhecimentos jurídicos. De onde ele seria?

— Minha paróquia é frequentada por alguns advogados. Você tem razão no que diz. Acredito que se tratava de uma doação. Assim pode, não é?

— Certamente — confirmou o ruivo. Com um sorriso, acrescentou: — Gosto muito dessa passagem do Evangelho, Don José. Desculpe a minha intromissão. Aliás, a observação não tira, em nada, o mérito da história que vai contar. Ela é muito importante. Eles vão gostar. Siga em frente, por favor.

José aproximou-se do homem.

— Como é seu nome? Você é católico praticante? Italiano, certo?

— Sim, sou católico e vou sempre à missa. Meu nome é Luigi. — O sorriso dele ficou ainda mais largo.

— Eu tinha percebido seu sotaque e, ao ouvi-lo me chamar de "Don José", não tive mais dúvida. Você fala muito bem português, parabéns! — Virando-se para os outros, explicou: — No Brasil, "dom" normalmente é usado para bispos e monges. Na Itália, também é usado para os padres.

— Obrigado — disse o ruivo, cheio de orgulho. — Estou no Brasil há seis anos. Mas ainda preciso melhorar meu português. Para ser mais exato, sou napolitano.

José aproveitou que o homem lhe deu confiança para tentar obter mais informações a seu respeito.

— O que um napolitano com conhecimentos bíblicos e jurídicos faz aqui neste cárcere?

— Dizem que faço parte de uma organização criminosa que lava dinheiro no Brasil — respondeu o italiano sem rodeios, com toda a calma.

— Qual é a sua profissão?

– Sou contador.

De todos os encarcerados, Luigi era o único com semblante relaxado. Não parecia temer nada. Provavelmente não ficaria por ali muito tempo. Seria integrante da máfia italiana?

– Não lhe preocupa o fato de estarmos aqui aguardando algum tipo de julgamento? – quis saber o padre.

– Não. Meus advogados devem trazer o alvará de soltura a qualquer momento. Os policiais me prenderam de forma ilegal.

– Ilegal?

– Sim. Eu estava caminhando na praia, em Ipanema, próximo de onde moro. Não fiz nada de errado. Sou um homem trabalhador. Por favor, prossiga com a história. Estamos todos esperando.

– Vamos lá. – José pigarreou, preparando-se para o restante da parábola. – Após receber sua parte da herança, o filho mais jovem partiu para o mundo. Como não tinha disciplina nem objetivos claros, gastou toda a fortuna. Vivia uma vida desregrada.

– Se a gente ganhasse a Mega-Sena, ia fazer a mesma coisa! – comentou Vítor. – Quem tem dinheiro precisa viver a vida.

– Claro! A gente vai viver pouco mesmo – endossou Jurandir. – O importante é fazer isso com todo o prazer que o mundo pode nos dar!

– Já, já digo o que penso disso, mas, primeiro, gostaria de terminar a história.

Todos concordaram e se puseram em silêncio novamente.

– Depois que ele gastou tudo o que tinha, houve uma grande fome na região. O rapaz, então, passou necessidade. Sem alternativas, procurou um emprego. Conseguiu a função de cuidador de porcos, mas o pagamento era péssimo, não dava para nada. Ele estava faminto, só que nem a lavagem dos bichos lhe davam para comer. Diante da fome terrível e da vida sem esperança, tomou uma decisão: voltaria à casa do pai e pediria para ser um de seus empregados. Sabia que o pai tratava muito bem a todos que trabalhavam em suas propriedades.

— Se eu tivesse um pai legal, nunca teria saído pelo mundo como esse cara — interrompeu Vítor. — Pedia que me desse grana e iria festejar. Depois, voltava para casa numa boa. Esse sujeito da história era muito burro! Merecia mesmo passar pelo pior.

— Difícil julgar o que houve com o jovem da parábola, né? Às vezes não interpretamos corretamente a realidade em que vivemos: nos iludimos, avaliamos mal as pessoas e acabamos num caminho errado. Quando nos damos conta, a luta para voltar é complicada.

O silêncio tomou conta da cela. José, sorridente, se aproximou mais do grupo e continuou:

— Quando o sujeito entrou na fazenda, seu pai o avistou de longe. Saiu correndo em sua direção, o abraçou e o cobriu de beijos.

O sacerdote percebeu que sua plateia tinha emoções distintas: o napolitano sorriu outra vez, mas os outros balançaram a cabeça.

— Mesmo depois de tudo o que ele fez? — questionou Jurandir.

— Sim. Ele estava muito feliz em ver o filho com saúde e de volta ao lar. Envergonhado e arrependido pelo rumo que tomara, o jovem disse ao pai que não merecia mais ser chamado de filho. O pai não deu ouvidos. Pediu que trouxessem a melhor túnica para ele e lhe colocassem sandálias e um anel. Sua alegria era tanta que determinou a realização de uma festa para comemorar o retorno do filho.

Vítor interrompeu novamente:

— Se eu fosse irmão desse cara, teria ficado revoltado com tudo isso. Depois de tanto abuso, ele ainda vai ganhar festa? Brincadeira... Tinha que apanhar muito!

— Isso quase ocorreu. O filho mais velho, quando viu o que se passava, ficou com muita raiva. Disse ao pai que o servira durante muitos anos sem nunca descumprir uma só ordem, mas jamais ganhara uma festa como aquela.

— Essa história está na Bíblia? Não dá pra engolir! Que pai é esse?! Sujeito injusto. Pode dizer, padre: o outro irmão matou o safado, não foi? — quis saber Jurandir.

– Não! Vamos com calma. Estou contando a vocês uma história narrada pelo próprio Jesus. Matar o irmão? Ninguém tem o direito de tirar uma vida. Não era para tanto. Não se assassina alguém por causa de dinheiro. Além disso, o pai era um homem amoroso, com o perdão no coração. Sabem o que ele respondeu ao filho mais velho? "Filho, você está sempre comigo, e tudo o que é meu é seu. Mas era preciso festejar e nos alegrar, porque esse seu irmão estava morto e tornou a viver, estava perdido e foi encontrado." Assim acaba a parábola.

– Acaba assim? – estranhou Vítor.

– Não gostaram? – perguntou José.

– Não achei justo. Fiquei com raiva do gastador. O safado torrou toda a grana e se deu bem no final – respondeu Vítor.

– Merecia levar um tiro! – concordou Jurandir.

– A história é sobre amor, perdão e acolhida – explicou o padre. – Não é sobre violência e vingança, gente.

– Tudo bem. Mas qual é a moral da história? O que isso tem a ver com a nossa vida? A gente precisa amar todos os que arrebentaram com a nossa vida? Tô fora!

Apesar das palavras de revolta, o olhar de Vítor indicava curiosidade em saber o que o sacerdote tinha a explicar.

– Na minha visão, a parábola significa que Deus está sempre à espera da gente. Mesmo quando vivemos no pecado, fora das leis do amor, cometendo atos horríveis contra nós mesmos e contra a sociedade, o Pai nos quer de volta. Todos os seres humanos têm salvação.

– Quer dizer que não importa o que a gente fez? Está tudo bem diante de Deus? – quis saber Vítor.

– Não. Nossos atos têm peso. Sofreremos as consequências deles aqui na Terra e depois de morrermos, no outro lado da vida. Mas, se nos arrependermos de verdade, como fez o filho pródigo, nos voltando para Deus com humildade, dispostos a trabalhar para Ele, praticando atos de amor, seremos perdoados. Teremos chance de, um dia, chegarmos ao Paraíso.

– Basta me arrepender e fazer o bem aos outros pra ter uma vida melhor? – Jurandir estava cabreiro.

– Sim – afirmou José com tranquilidade.

– Não sei... Todas as vezes que me pegaram fazendo alguma coisa de ruim, quase me mataram – disse Vítor. – E não estou exagerando. Agora o senhor diz que posso me arrepender e tentar consertar o mal que causei. Será que alguém vai me deixar fazer isso? Nunca tive uma oportunidade dessa na vida.

– Posso garantir que, no caminho de vocês, vão surgir oportunidades para fazerem o bem. Quando isso ocorrer, ninguém poderá escolher por vocês. Peço que se lembrem do dia de hoje, para não caírem na tentação de decidir com base no ódio.

– Acredito no que Don José diz – interrompeu o italiano.

– Gringo, se é verdade o que o padre diz, que Deus nos ama e quer o nosso bem, o que ele faz aqui, preso? Como o Todo-Poderoso permitiu que seu representante, o homem que trabalha para Ele, passe esse vexame? Não sei se você percebeu, mas ele está trancado na mesma jaula onde está o lixo da cidade.

O questionamento de Jurandir caiu como uma bomba na cela. José perdeu o sorriso que sustentava e ficou mudo, mas Luigi veio em seu socorro:

– Muito simples, senhores. Para que a mensagem de Jesus chegasse até vocês e mudasse suas vidas. Para que soubessem que Ele os ama profundamente e quer que mudem de vida, que sejam vencedores!

O rosto de José resplandeceu. No fundo, a explicação servia para aclarar o próprio destino. Um sacerdote inocente na prisão? Só fazia sentido se fosse para a conversão de algumas almas.

A voz do carcereiro soou no corredor:

– Luigi Piatti! Venha comigo.

O homem abriu a cela e, com um aceno de mão, convocou o italiano.

– Seu advogado está esperando na última sala do corredor. Você está livre.

O rosto do estrangeiro era pura alegria.

– Quero agradecer, de coração, o momento espiritual que tive hoje. Don José, sua presença aqui foi um sinal de Deus para mim. Fiquei muito impressionado com o fato de o senhor, mesmo na dor e na humilhação, ter escolhido servir a Deus, doando-se para nós. Pretendo retribuir da forma que puder. Peço que nunca se esqueça de mim em suas orações. Meu nome, o senhor já sabe. Rezarei também por sua vocação. Nossa Igreja precisa de homens assim. O senhor se portou com muita dignidade e realizou um excelente trabalho aqui. Não tenho dúvida do seu grande valor. Deus vai recompensá-lo, acredite!

Antes de se retirar, Luigi apertou a mão de cada um dos presidiários.

– Está vendo? O gringo tinha dinheiro – comentou Vítor. – Quem é rico não fica preso no Brasil. Por isso, sinto que a gente não tem esperança. Vamos passar uma temporada na cadeia e, logo depois, quando soltarem a gente, vamos voltar pro crime. Esse é nosso futuro.

– Com todo o respeito, você está errado – replicou José com seriedade. – Deus ama igualmente os ricos e os pobres. Todos temos pecados e precisamos progredir na fé, não importa a classe social. Além disso, voltar a cometer crimes não é uma obrigação para nenhum de vocês. Muito menos futuro. Podem escolher outro caminho, ter uma vida melhor.

– Tá louco? Que vida melhor? Já viu alguém dar trabalho ou tratar com respeito um ex-presidiário, padre? – questionou Vítor.

– Claro.

Com a resposta tranquila e convicta do sacerdote, se fez outra vez silêncio na cela. Após alguns instantes, José explicou:

– Todos os funcionários de minha igreja são ex-detentos que cresceram na comunidade onde está a paróquia.

– Sério?! – Jurandir arregalou os olhos.

– Sim. E, caso queiram, posso fazer o mesmo por vocês. Estão interessados?

– Sim! – responderam em coro.

José, então, pediu ao carcereiro que lhe trouxesse papel e caneta. O homem relutou. Com má vontade, alegou que era contra as regras emprestar objetos aos presidiários. Não se dando por vencido, o sacerdote insistiu até que o funcionário da delegacia lhe forneceu o que queria. Satisfeito, anotou o nome dos rapazes e os locais onde moravam. A promessa de empregos após o tempo de cadeia seria cumprida.

No fim do dia, José recebeu a visita dos pais. A situação foi constrangedora e triste. O rosto da mãe demonstrava sua total reprovação. O pai estava cabisbaixo e não abriu a boca durante todo o encontro.

– Imaginei que o negócio de virar padre fosse o último vexame a que você iria me expor – começou a mãe. – Mas vejo que você é muito criativo. O policial me disse que você é amigo do maior traficante do Rio de Janeiro e atacou PMs para libertar o marginal. Inacreditável!

– Justamente, não acredite numa bobagem dessas. Não sou amigo de marginais e não sabia que o rapaz que os policiais estavam prestes a matar era o chefe do tráfico de drogas local.

– Não sabe que a polícia precisa realizar seu trabalho? Se o policial desse um tiro no bandido, estava tudo certo. Para que precisamos de mais marginais nas nossas ruas?

– Que isso?! Todo ser humano merece a chance de se arrepender de seus pecados e ter uma vida digna.

– Palhaçada! Coisa de padreco. Ninguém aguenta mais tanta violência no Rio de Janeiro. É preciso exterminar essa raça de bandidos. Sabia que sou favorável à pena de morte?

– Que absurdo! Se está cansada de violência, como pode propor mais violência, com a morte dessas pessoas? Não fale assim, por favor.

– Para de frescura! O fato é que você ajudou o bandido mais procurado do Rio de Janeiro a escapar da polícia. Sua prisão é merecida

– afirmou Olga, e o sacerdote abaixou a cabeça. – Agora quero ver... Como pretende sair dessa? Quantos anos vai ficar aqui no cárcere? Já contratou um advogado ou acha que vou fazer isso por você?

– Não vou ficar preso. Foi um mal-entendido. E não preciso de seus advogados. A diocese do Rio de Janeiro tem um corpo jurídico à nossa disposição.

– É mesmo? Por que você continua preso? Cadê o advogado?

– Calma, tudo acabou de acontecer. Tenho certeza de que dom Costa virá aqui com os advogados e a situação vai se resolver.

– Então está bem. Se você está tão seguro de que seus colegas padres vão te socorrer, não vou me meter. Eu e seu pai voltaremos para visitá-lo no fim de semana. Se até lá não estiver representado por um advogado, contrataremos um para você. Mas vai ter que me prometer largar a batina e voltar para o mundo real.

A mãe de José lhe deu um beijo no rosto e virou as costas. O pai, um senhor idoso, de passos curtos e debilitados, abraçou forte José. Com os olhos marejados, não conseguiu dizer nada, mas o beijou várias vezes na cabeça. Assim que o casal se retirou, o sacerdote foi reconduzido à sua cela.

Passados dois dias da prisão, o cardeal Costa apareceu do outro lado das grades. Seu rosto denotava insatisfação e constrangimento. O delegado, por sua vez, parecia tranquilo ao seu lado. Pelo visto, já tinham debatido sobre o caso e nada de bom resultara do encontro.

Em respeito ao cardeal, o delegado havia retirado momentaneamente o padre da cela e os reunira em uma das salas da delegacia, para que os dois conversassem em particular.

– Padre José, não tenho palavras para descrever o que estou sentindo – disse dom Costa.

– Por favor, gostaria de explicar melhor esse equívoco ao senhor, aos policiais e ao delegado.

– Equívoco? Pelo que soube, você atacou um policial militar em serviço. E mais: com sua ação desastrada, causou a fuga de um perigoso bandido. Existe algum tipo de explicação para isso? – O rosto vermelho do homem refletia sua fúria.

– Não foi exatamente isso que ocorreu. Eu estava descendo a ladeira do almoxarifado quando vi os policiais ameaçando um jovem. Ele estava desarmado e assustado. Eu não o conhecia. Percebi que o policial fez um movimento suspeito em direção ao rapaz. Pensei que iria disparar contra o rosto dele. Por puro instinto, pulei sobre o braço do homem – falou José em alta velocidade.

– Está fora de si? Agora virou justiceiro? Nossa função na sociedade é evangelizar o povo. A segurança pública não está ligada diretamente ao nosso trabalho. Estou enganado?

– Só quis preservar a vida do rapaz. Não havia necessidade de violência, muito menos de tiros. Ele estava desarmado e encurralado. Minha intenção não foi agredir ninguém, muito menos atrapalhar o serviço da Polícia Militar.

– O fato é que agrediu e atrapalhou. Seja como for, já falei do seu caso ao Dr. Sérgio, advogado da Mitra. Ele me disse que provavelmente dentro de poucos dias você receberá seu alvará de soltura.

– Então em breve estarei livre? E o processo penal, seguirá contra mim?

– Não sei responder a essas perguntas. Recomendo que não fique muito feliz. Não sei bem em quanto tempo poderá se livrar de todo o problema, se é que isso ocorrerá. O primeiro passo é livrá-lo de imediato das grades. Mas o inquérito policial será encaminhado ao Ministério Público do Rio de Janeiro. Lá, os promotores da Central de Inquéritos vão resolver se você será processado ou não.

– Sou inocente, dom Costa. Não temo um processo. A questão não é essa. Gostaria de seguir adiante em minha carreira sem ter que me preocupar por anos com uma eventual sentença judicial – disse José sem muita convicção.

– Como qualquer pessoa, não? – O cardeal, sem muita paciência, cruzou os braços lentamente. – Outra coisa, padre: um grupo de sacerdotes, ao saber de sua prisão, me encaminhou um pleito canônico para que você fosse afastado de suas funções sacerdotais.

– Como?!

– Seu ataque ao policial teve grande repercussão na imprensa, foi manchete em dois jornais de grande circulação da cidade. Saiba que está me envergonhando bastante. A imprensa está atrás de mim o dia inteiro para que eu dê algum depoimento. Integrantes importantes de nosso clero me pedem sua cabeça. Graças a você, minha vida não está nada fácil.

Dom Costa esfregou a testa com a mão direita e fez uma careta de desconforto.

– Como um homem que já representou minha diocese na Itália de forma brilhante chega a esse ponto? – questionou o arcebispo, chateado.

Sem muito que dizer, José voltou a repetir:

– Sinto muito. Minha única intenção foi salvar a vida do garoto. Não calculei que meu ato teria tantas implicações ruins. Nunca quis prejudicar seu pastoreio ou manchar a imagem de nossa diocese.

– Como diz o ditado: o inferno está cheio de boas intenções. Agora preciso tratar de outros assuntos.

Os dois homens andaram juntos para fora da sala.

– Prepare-se para formular uma defesa por escrito, para o processo canônico, e me encaminhar o mais breve possível. Aguente firme o sofrimento deste momento. Bom dia, padre José.

Dom Costa saiu pisando duro, enquanto o sacerdote voltou à cela.

No fim da tarde daquele dia, o carcereiro voltou a chamar José. Ao abrir a grade, avisou:

– Há um telefonema de um advogado para você.

Satisfeito, José imaginou que dom Costa prontamente lhe enviara o profissional. Quando atendeu o telefone, teve uma surpresa: o homem disse que o estava procurando por parte de Luigi Piatti. José não sabia se comemorava ou desconfiava. Diante da gravidade de sua situação, no entanto, aceitou que o advogado viesse vê-lo. Não queria permanecer no cárcere por mais tempo.

Por volta das onze da manhã do dia seguinte, o mesmo carcereiro voltou a chamá-lo. Logo que José se levantou do chão, saindo do canto onde estava, o sujeito lhe avisou:

– Está livre. Seu advogado o espera na sala ao fim do corredor.

– Finalmente!

José se despediu depressa dos demais presidiários e foi ao encontro do advogado. A porta da sala estava fechada. Educadamente, José bateu e pediu para entrar. Um homem de óculos e terno preto muito alinhado abriu a porta e o saudou.

– Padre José, grande satisfação em conhecê-lo.

– O senhor é o advogado enviado pelo Sr. Luigi?

– Sim. Sou Pietro Giamelli. Ele me pediu que providenciasse esta ordem de soltura e a entregasse ao senhor.

O advogado entregou um envelope ao sacerdote.

– Meu Deus! – José segurou o documento com enorme satisfação. – Não sabia que poderia me tirar daqui tão rápido.

– Sim, senhor, nosso escritório tem boa fama – respondeu o advogado em voz baixa.

– Que Deus o abençoe! Mas não assinei nenhuma procuração, como é possível?

– Qualquer pessoa do povo pode impetrar *habeas corpus* em favor de quem quiser. Por falar nisso, o Sr. Luigi me pagou para representá-lo na ação penal, caso o Ministério Público decida prosseguir e processá-lo. Nesse caso, sim, preciso que assine esta procuração. A menos que já tenha advogado ou não esteja interessado.

O homem estendeu o documento e a caneta ao sacerdote.

Ao ouvir tudo aquilo, José não titubeou. Não entendia por que não havia sido atendido pelo advogado da diocese, mas não pretendia ficar esperando por prazo indeterminado na prisão. O contador italiano fora muito gentil. Será que tinha algum interesse escuso? Mas isso não fazia sentido, pois o homem não lhe pedira nada.

Além do mais, não ficava bem desconfiar das pessoas por sua aparência ou pela situação por que estavam passando. Talvez ele fosse religioso e sua intenção fosse praticar a caridade a um sacerdote necessitado.

– Dr. Giamelli, diga ao Sr. Luigi que aceito de coração o auxílio. Ele estará sempre em minhas orações.

Com firmeza, José pegou a caneta e assinou a procuração. Era o fim de uma situação extremamente vexatória. Agora, precisava cuidar do seu futuro. Sobretudo de sua carreira sacerdotal. Sem dúvida, todo o evento havia jogado lama em sua boa reputação. Precisava reagir e voltar a ser o homem que era antes da derrota.

A voz alta de Raniero fez a atenção de José voltar à mesa do jantar. O prior o estava convidando para se juntar aos demais em quinze minutos, para darem início à oração da noite. Forçando um sorriso, o brasileiro concordou e logo se retirou para seu quarto.

Quando José chegou à capela, os padres da comunidade já ocupavam seus lugares. Sentou-se na única cadeira livre. Segundos depois, os religiosos começaram a entoar cânticos. Em seguida, passaram à liturgia das horas. Por fim, Raniero comunicou aos sacerdotes da ordem que, extraordinariamente, haveria uma apresentação mais detalhada de seu amigo brasileiro. Gostaria que ele lhes contasse como tinha se decidido pelo sacerdócio e, em especial, por qual motivo havia escolhido o Santuário de São Miguel Arcanjo para percorrer parte de sua caminhada.

Antes que José pudesse protestar, Raniero disse que seria uma honra que cada padre miguelino conhecesse em primeira mão a história de um professor tão brilhante, e acrescentou:

– A partir de amanhã, queremos que você passe, sempre que possível, um tempo do seu dia na companhia de um de nós. Será uma espécie de direção espiritual. Que tal?

– Não quero dar mais trabalho para vocês. Não há necessidade.

– Esse assunto não é negociável. Na minha autoridade de prior desta casa, determinei que cada padre faça uma sessão por dia com você. Assim, você terá três diretores espirituais enquanto estiver em solo italiano.

José olhou em silêncio para os rostos ao seu redor. Todos estavam muito satisfeitos com o que Raniero acabara de anunciar. Provavelmente haviam decidido aquilo em conjunto. Seria uma grande desfeita não aceitar.

– Será um prazer. Espero aprender muito com vocês – capitulou ele.

Julgou que também seria inevitável contar aos demais padres sua história e o motivo pelo qual estava no santuário. Levantou-se, ajeitou o paletó, olhou uns instantes para o chão, pensando como iniciar sua fala. Tossiu de leve e começou:

– Não sei exatamente o que esperam ouvir. – Ele deu um sorriso sem graça. – Alguma sugestão?

Raniero resolveu ajudar o amigo:

– Não se preocupe se a história que vai contar é interessante ou não. O grupo precisa conhecê-lo um pouco mais, só isso. Comece pelo seu chamado. Todo padre teve um. Quando Jesus o convidou ao sacerdócio? Como foi? Houve algum fato marcante em sua vida? Uma data especial?

– Muito bem... Iniciarei com minha juventude. Talvez não saibam, mas fui sociólogo. Trabalhei para uma ONG internacional. Percorria toda a América do Sul realizando minhas funções. Fazia um levantamento completo das condições em que as pessoas do local viviam. Se tinham luz, água, energia elétrica. Se tinham o que comer e acesso à educação. Naquela época, no entanto, não tinha convicções religiosas.

Seu olhar encontrou o de Raniero, que franziu a testa e estreitou os olhos em clara reprovação.

– Desculpem, a informação que lhes dei não foi exata. Tinha uma posição religiosa clara naqueles tempos: eu não acreditava na existência de Deus.

Ao ouvir o brasileiro, padre John abriu um sorriso e meneou a cabeça. Com o gesto do americano, José sentiu-se encorajado.

– Hoje, vejo o quanto estava errado. Sinto-me envergonhado desse passado. Apesar de, por vezes, me sentir abandonado pelo Pai Celestial, creio com todas as minhas forças que Ele é real.

Todos sorriram.

– Vou voltar ao episódio de minha conversão. As queixas que tenho sobre nosso Criador ficam para outra jornada.

José fitou o chão, procurando a melhor abordagem. Soltando o ar com força pela boca, continuou:

– Certa vez, fui designado para realizar um projeto em uma comunidade carente na minha cidade natal, o Rio de Janeiro.

Hesitante, José olhou outra vez na direção de Raniero. Precisava de apoio. Não tinha percebido quão dolorido era falar sobre o passado. Sensível à situação, o prior deu um sorriso encorajador.

– A área era formada por casebres que, no Brasil, denominamos barracos. Em um deles, posicionado em uma área com forte risco de desabamento, morava um sacerdote italiano.

– Italiano? O que o homem fazia num lugar perigoso assim? – perguntou John, sendo acompanhado pelos demais.

– Curioso, não? Sim, italiano. Ele havia nascido em Pádua e lá se ordenara sacerdote.

No mesmo instante, José pensou: "Minha vida se conectou à Itália há muitos anos. Será que isso significa algo positivo? Talvez seja um sinal de que, estando aqui, eu tenha chances de superar meus perseguidores. Por outro lado, melhor ser racional, prefiro não me iludir..."

– Não vamos interromper nosso convidado, meus queridos irmãos! – pediu Raniero, trazendo a atenção do brasileiro de volta à sala. – Estou gostando, está muito interessante. Prossiga, por favor.

– O nome do padre era Antonio, mas para o povo ele era simplesmente padre Branco. Alguém lhe dera o apelido por causa da sua pele alva e fartos cabelos e barba brancos. Era um homem fantástico e logo fizemos amizade. Por uns quarenta dias, convivi todo dia com ele, acompanhando de perto sua rotina na comunidade. Ele me auxiliava bastante nos afazeres.

Aquelas lembranças faziam doer o peito de José.

– Passado um tempo, a Defesa Civil informou que uma grande tempestade cairia na região. A ONG para a qual eu trabalhava entrou em contato. As autoridades pediram ao meu chefe que impedisse, durante dois dias, que eu pisasse lá. O perigo era demasiado e já estavam retirando as pessoas do local. Preocupado com padre Branco, desobedeci às ordens e fui até seu barraco à noite. Tinha certeza de que o homem não aceitaria deixar o lugar.

– Como bom italiano, devia ser muito teimoso! – disse Seiji, olhando para Raniero.

O sujeito gordo e alto apenas sorriu de volta. Os outros padres acharam graça.

– Sim, ele tinha fama de teimoso mesmo. Queria retirá-lo de lá, pois sabia de sua importância para o povo. Quando cheguei ao barraco, percebi que a porta estava aberta. Branco estava ajoelhado em frente à imagem de Nossa Senhora da Rosa Mística. Havia acendido três velas e, de olhos fechados, rezava em silêncio. Esperei que terminasse. Era impressionante como não se movia. Parecia uma estátua humana. Fiquei mais de vinte minutos observando. Pela posição em que estava e pela idade, devia estar sentindo as pernas dormentes e os joelhos doloridos.

– Os que estão acostumados a meditar no colo do Senhor não sentem dores. Apenas prazer – interrompeu Seiji outra vez.

– Verdade. Hoje sei disso. Naquela época, aquilo era algo incompreensível para mim. – O brasileiro nitidamente já estava mais à vontade em sua narrativa. – Após o sinal da cruz, Branco se levantou e se virou para me encarar, numa velocidade que me surpreendeu. Antes que pudesse lhe dizer algo além de um boa-noite, ele me abraçou e me convidou a tomar água. Aceitei. Após uma longa conversa em que tentei convencê-lo a deixar a casa, ele citou uma passagem bíblica e me avisou que estava tudo sacramentado. Insisti que ele precisava ir embora comigo naquele minuto. As chuvas já caíam em boa parte da cidade do Rio de Janeiro e não tardariam a chegar ali também. Com um largo sorriso, ele se recusou a me seguir. Implorei que viesse, mas ele disse que sua missão era ali. Expliquei que uma tragédia iria se precipitar sobre o lugar. Ele retrucou calmamente que estava pronto para partir da Terra quando Deus quisesse.

– Diante da recusa, você não tomou nenhuma providência mais agressiva? – questionou o sacerdote americano.

– Não podia dar uma gravata no homem e arrastá-lo para fora do morro. Tentei argumentar de todos os modos, mas ele estava irredutível.

– Qual foi a solução, José? – quis saber padre John.

– Infelizmente, derrotado pela teimosia do homem, virei as costas e me retirei. Enquanto descia pelas ruas lamacentas, a chuva apertou. Podia ver os riscos iluminados dos raios no céu da cidade. Ao chegar ao asfalto, senti uma dor aguda no peito. Minha cabeça começou a doer. Olhei para o caminho que acabara de percorrer. Pensei em voltar e ficar com o padre, mas seria estupidez. Provavelmente morreríamos os dois. Então, parti para casa.

José percebeu os olhares atentos dos outros padres.

– No dia seguinte, pela televisão, assisti ao triste noticiário local. O rosto do apresentador era péssimo. Ele iniciou sua fala dando os números da tragédia: treze mortes naquela comunidade em decorrência da tempestade. Larguei tudo e parti para lá. Ao chegar, fui informado pelos socorristas que o barraco de Branco havia sido atingido por enormes pedras, que despencaram da encosta do morro, e fora soterrado pela lama. O sacerdote tinha morrido dormindo, sufocado sob os escombros.

José fez uma breve pausa, com os olhos cheios d'água.

– Para os homens comuns, o fato que narrou é uma tragédia – comentou padre Haskel. – Para os que creem, um triunfo. Padre Branco foi mártir. Em nome do Reino dos Céus, não abandonou seu povo carente. Até o último dia praticou sua fé e deu a vida pelos pequeninos do Pai Todo-Poderoso.

– Sei que era um homem santo – falou José. – Aliás, todo mundo tinha essa convicção, até pessoas de outra religião. Hoje em dia, se forem até lá, vão verificar que ele continua a ser venerado pela comunidade como santo. Há movimentos sociais no Brasil que pedem ao Vaticano sua beatificação.

José fez uma pausa, então prosseguiu:

– Durante o enterro, me senti muito mal. Uma multidão se formou e, comovida, não parava de entoar cânticos religiosos. Era tanta gente que, de certa distância, não se conseguia ver o caixão. Enquanto alguns padres faziam orações com o povo ao redor de Branco, algumas pessoas da comunidade chegaram com um andor florido da Rosa Mística. Essa era a grande devoção do falecido. Os sacerdotes, então, determinaram que a Virgem seguiria na frente do cortejo e ficaria sobre o túmulo do italiano.

José passou a mão pelos olhos.

– No final da cerimônia de enterro, algo estranho se passou. O sacerdote que conduzia as orações lançou um desafio: aquele que tivesse coragem de doar sua vida aos mais necessitados, que ocupasse a vaga deixada por Branco. Meu coração se apertou e, quando tudo terminou, fui falar com aquele padre. No diálogo, ele pegou uma Bíblia pequena no bolso, abriu no Evangelho de São Lucas, capítulo 14, e me pediu para ler em voz alta alguns versículos. O último era o 33.

Raniero, com voz solene, declamou a passagem bíblica citada:

– "Qualquer de vocês, se não renunciar a tudo o que tem, não pode ser meu discípulo."

– Exatamente. – José olhou com tristeza o semblante tranquilo de Raniero. – Depois de alguns dias, lembro-me que foi num sábado à noite, adormeci vendo televisão e comecei a sonhar. Estava em frente ao barraco de Branco, onde havia uma vela acesa. Quando entrei, me deparei com o sacerdote vestido de branco, o rosto iluminado. Sentado no chão, me disse que minha decisão precisava ser tomada com urgência. Não entendi do que falava. Ele, então, retirou do pescoço seu cordão, que trazia o crucifixo de madeira, e o enrolou em minhas mãos. Deu três tapas carinhosos em meu rosto, abriu um sorriso luminoso, levantou-se e saiu. Acordei na hora. O sonho havia sido tão real que chorei sem parar até o raiar do dia.

As lágrimas novamente se formaram nos olhos de José.

– Seu chamado veio de uma bela experiência mística! – exclamou Haskel, feliz.

– Sim. Nunca havia passado por nada sobrenatural, mas naquela noite... – José fez outra pausa e inspirou fundo. – No domingo, fui à paróquia perto de minha casa e disse ao sacerdote que lá estava que queria ser padre. O resultado, já sabem: aqui estou.

– Agora que sabemos sobre como se tornou padre, poderia partilhar conosco a razão que o trouxe ao Santuário de São Miguel Arcanjo? Como tudo aconteceu? – pediu Haskel.

– Certo. – José ajeitou a roupa e falou: – Há dois motivos para eu ter escolhido permanecer uma temporada com os miguelinos. O primeiro deles está ligado a um problema com a Justiça brasileira. Eu fui preso.

– O quê? Prenderam um padre? – Haskel quase pulou da cadeira.

– Sim. Presenciei uma situação grave na comunidade carente onde trabalhava e interferi no trabalho de dois policiais. Pensei que matariam um jovem num beco. Graças a mim, o rapaz fugiu. Não sei até hoje se aquele garoto era um marginal, mas tive a nítida impressão de que o policial iria atirar na cabeça dele. Meus reflexos foram instantâneos. Precisava preservar aquela vida. Terminei na cadeia.

– Quanta injustiça! As autoridades brasileiras deveriam se envergonhar – comentou padre John.

– Talvez. Pensando com mais calma, meses após ter sido libertado da prisão, percebi que os policiais não agiram de má-fé. Apenas fizeram seu trabalho. Realmente, me lancei em cima de um deles enquanto detinham uma pessoa suspeita. Os homens da lei não tinham outra escolha senão me levar à delegacia.

Andou um pouco pela sala e continuou o relato:

— A situação foi se desenrolando e o inquérito policial chegou ao Ministério Público. Eu estava em vias de ser processado criminalmente e virar réu. Pensei que seria apoiado pela Igreja, mas o cardeal se envergonhou da minha conduta. Desconfio que tenha me deixado à mercê da sorte. Ele prometeu me enviar um de seus advogados, mas nunca vi a cara do homem! Parece que o sujeito era tão inoperante que, quando foi me procurar na carceragem, eu já tinha sido solto.

— Quem o soltou? — perguntou Raniero.

— O advogado de um dos presos, um italiano de nome Luigi, que conheci lá mesmo.

— Que bom! — exclamou Seiji.

— O mais interessante é que o homem era um contador de Nápoles. Estava preso sob a acusação de crime de lavagem de dinheiro. Seu sobrenome era Piatti. Alguém já ouviu falar dele?

José observou os olhares sérios dos companheiros. Raniero franziu a testa, como se fizesse um esforço para se lembrar. Ninguém disse nada.

— Aparentemente, ele ficou satisfeito com uma pregação que fiz na cela e decidiu me livrar de lá.

— Você pregou para os outros presos? Não sabia desse detalhe. — Raniero foi pego de surpresa com essa informação.

— Sim. Não me lembro mais das circunstâncias, mas acabei falando aos presidiários sobre Jesus. Luigi, para meu espanto, tinha bom conhecimento do Evangelho e se disse católico praticante.

— Será que o homem não era mesmo conectado à máfia napolitana? — John levantou a questão.

— Não dá para saber. A última notícia que tive dele me foi dada por seu advogado, quero dizer, nosso advogado, Dr. Giamelli. Ele me explicou que Luigi foi absolvido e decidiu retornar à Itália.

— Ninguém lhe deu mais detalhes? — perguntou Raniero, curioso.

— Não. Quando enfim me livrei das acusações que me atormentavam, pedi ao Dr. Giamelli que marcasse um encontro meu com Luigi.

Queria lhe agradecer pessoalmente pela caridade que me fizera. Muito solícito, ele me explicou que, após a vitória no tribunal, Luigi não lhe comunicara quando estaria de volta ao Brasil. Resultado: nunca mais o vi.

– Quer dizer que o embate jurídico sobre sua liberdade já terminou? – John trouxe a conversa de volta à questão mais importante.

– Sim. Juridicamente, sou um homem livre. O problema é que os adversários do clero continuam em meu encalço. Pedem, dia e noite, minha cabeça ao cardeal. Antes, dom Costa me tinha em alta estima. Havia, inclusive, me enviado a Roma como seu representante, para lecionar. Depois do ocorrido, passou a não me receber mais nem atender meus telefonemas. Fiquei isolado em minha pequena paróquia. Não sei se foi por ordem do cardeal, mas o padre reitor da universidade em que eu dava aulas me aplicou uma suspensão informal. No início do semestre letivo, me disse que não haveria turma aberta para minha matéria. Até o último dia, antes de meu embarque para cá, fiquei impedido de exercer minha função de professor.

– Que absurdo! Esses homens estão loucos? – Raniero, revoltado, cortou o discurso de José.

– Você sabe como é difícil a política no clero. Não só no Brasil, mas no mundo todo.

– Tudo bem. Uma coisa é a inveja de alguns padres dos trabalhos que se destacam junto ao povo de Deus, outra é jogar sujo, impedindo um homem de bem de exercer seu ofício. Isso me irrita profundamente. – Raniero estava chateado.

– O fato é que meu afastamento é oficial. Graças a Deus! Não há nada de informal ou camuflado. Tudo passou pelo aval do meu cardeal. Meus inimigos, quando souberam que eu iria sair do Brasil, primeiro criticaram ferozmente dom Costa. Disseram que ele estava premiando um criminoso, alguém que depreciara o nome da diocese. Depois de se reunirem com o cardeal, passaram a festejar minha saída. Afirmaram que minha carreira, tanto no sacerdócio como na docência, estava enterrada. Não dá para saber qual foi a intenção de dom Costa com a minha saída, mas tudo indica que foi se livrar de um grande problema.

José deu um longo suspiro.

– Não sei... – ponderou Raniero. – Essas questões políticas são muito mais complicadas do que imaginamos. Prefiro acreditar que o cardeal, reconhecendo seu grande valor, decidiu premiá-lo e, ao mesmo tempo, retirá-lo do olho do furacão, dando-lhe nova chance de crescer como sacerdote.

– Não acredito nisso, mas espero que você esteja certo. – Após uma breve pausa, José prosseguiu: – Agora, o segundo motivo, aquele que tem conexão direta com minha escolha por este lugar.

Os demais homens sorriram. José sentiu-se encorajado e, com a voz mais animada, continuou:

– Um dia, estava atravessando a principal rua do bairro onde fica minha paróquia quando fui abordado por um menino. Ele era franzino e usava camiseta, bermuda e chinelo de dedo. Falava bem baixinho e me tratou por "senhor padre".

Raniero interferiu outra vez:

– Como ele sabia que você era padre, José? Pelo que sei, você não costuma andar de batina ou terno pelas ruas do Rio de Janeiro.

– Aí é que está! Não sei. Talvez me tivesse visto vestido de padre ou rezando a missa por lá. Por outro lado, tenho boa memória para rostos, mas não me lembrava de ter visto aquele garoto em parte alguma. Minha comunidade é bem pequena... – José coçou a cabeça. – Seja como for, me abaixei para escutar o menino, pois sua voz sumia em meio ao barulho do trânsito. Quando ele percebeu que tinha minha atenção, falou que estava vivo graças a São Miguel Arcanjo e que estava ali para me dar algo. Estendeu a mão esquerda e me entregou uma pedra avermelhada, bruta, muito bonita.

– Uma pedra? O que ela significava? – questionou Haskel.

– Foi o que perguntei a ele. Prontamente, me respondeu que era para minha proteção, que o objeto fora enviado por São Miguel. Insisti com o garoto: como aquela pedra poderia me proteger? Sorrindo, ele explicou que tinha sido extraída da caverna italiana onde havia aparecido o guerreiro alado. Com seu grande poder, o arcanjo estaria ao meu lado para resolver qualquer problema. – José esboçou um sorriso. – Fitei por uns instantes a pedra. A luz do sol brilhou bonita sobre ela. Ao tirar os olhos dela, procurei pelo garoto. Ele havia desaparecido.

– Desapareceu? Do nada? – quis saber John, com olhar sério.

– Pois é. Não sei se me distraí por muito tempo com a pedra, mas não encontrei mais o menino. Segui meu caminho até a igreja. Antes de entrar na sacristia, uma das senhoras que frequentam a Legião de Maria me cercou. Sem rodeios, disse que seu grupo queria fazer uma festa especial para São Miguel naquele fim de semana. Meu queixo caiu: São Miguel? Sem entender minha incompreensão, ela explicou que 29 de setembro, naquele sábado, é a festa de São Miguel. Eu havia esquecido por completo. Sem titubear, respondi que faríamos uma grande festa.

– Parece que nosso arcanjo favorito gosta de nos procurar nos momentos mais complicados da vida – comentou Raniero, com um sorrisinho.

– Entrei na minha sala e me sentei na cadeira de sempre. Coloquei a pedra que o menino tinha me dado em cima da mesa. Em silêncio, fiquei olhando para ela. A dois dias da festa de São Miguel, um menino desconhecido tinha aparecido do nada para dizer que o arcanjo estava ciente dos meus problemas, colocando-se à minha disposição. O que tudo isso significava? Segundos depois, antes que eu me levantasse, minha secretária entrou como um furacão. Estava preocupada porque as senhoras da Legião de Maria lhe comunicaram que queriam fazer, em pleno altar, uma pequena réplica da gruta de São Miguel.

– Não é possível! – exclamou Seiji.

– Também pensei a mesma coisa. Na hora, a ficha caiu: a pedra que o menino me dera indicava que a saída para a crise que eu vivia estava na gruta que São Miguel consagrara no monte Gargano. Eu precisava urgentemente da ajuda do arcanjo para obter a vitória na batalha contra meus inimigos de carne e osso da diocese. Só havia um pequeno empecilho.

– Qual? – interrompeu Haskel.

– Dom Costa. Para fugir da confusão e ter um período de paz, como um retiro espiritual, eu precisava que ele me liberasse de minhas funções sacerdotais junto à comunidade e deixasse que eu fizesse os contatos necessários na Itália para organizar minha estada em terras estrangeiras.

John fez a pergunta que todos tinham em mente:

– Você acabou de nos contar que o homem nem o recebia mais. Como resolveu isso?

– Depois de duas semanas, concluí que ele não iria me atender ao telefone. Então, bolei um plano: iria cercá-lo na saída do prédio da Mitra. Como seus horários eram sempre os mesmos, necessitava da boa vontade do porteiro para me deixar entrar e esperar dom Costa. Rezei durante três dias seguidos pela intenção de um bom encontro com meu pastor. Logo que o dia raiou, me dirigi ao local. Toquei o interfone e disse ao porteiro que eu era sacerdote e precisava aguardar dom Costa na recepção. Ele estranhou e saiu para me ver melhor. Com um aceno, pedi que se aproximasse. Eu estava de batina e o homem se sentiu encorajado. Perguntou por que eu não marcava uma hora com o cardeal, como todos os demais sacerdotes. Expliquei que era um imprevisto e precisava vê-lo pessoalmente. De repente, o sujeito, olhando mais de perto, disse meu nome.

– Ele o chamou pelo nome? Você o conhecia? – perguntou Raniero.

– Não me lembrava de tê-lo visto. Mas ele me garantiu que eu havia feito as orações no enterro de sua mãe, lá na comunidade.

– Que coincidência! – disse John, espantado.

– Não existem coincidências. Deus demonstrou que estava abrindo o caminho para a vitória de José! – retrucou Haskel.

Os dois se encararam em silêncio por uns instantes. Antes que pudesse haver algum conflito, José retomou a história:

– Acho que foi Deus mesmo. Com alegria, o homem abriu o portão e disse que dom Costa estava prestes a descer. Seria melhor esperá-lo na garagem. Assim o fiz. Quando o cardeal deu de cara comigo, não gostou nem um pouco. Olhou com desgosto para os outros padres que o cercavam naquele momento. Sem dar chance a dom Costa, fui logo me desculpando pela ousadia e falando que, diante da suspensão na universidade, gostaria de ser liberado para um período de retiro e estudos na Itália. Além disso, seria uma forma de meu nome parar de circular pela diocese e trazer problemas para ele. Aborrecido e querendo se livrar logo de mim, o cardeal mandou que eu ligasse para seu vigário episcopal e obtivesse a liberação. Com relação à Itália, o problema era meu, eu que me virasse e fizesse contato por lá. Expliquei que tinha um grande amigo prior dos miguelinos, no monte Gargano, e que pretendia passar um tempo aqui.

– Então falou de mim para dom Costa? – quis saber Raniero.

– Sim. Surpreendentemente, ele disse que conhecia o Santuário de São Miguel Arcanjo, pois era devoto. Acrescentou que conhecia o novo bispo da região, dom Marcelo. Depois, sem dizer mais nada, seguindo os outros sacerdotes, entrou no carro e partiu.

– Que sujeito mais grosso! – exclamou Seiji.

– Grosso ou não, o fato é que me liberou. Não se esforçou para que minha ideia vingasse, mas também não me atrapalhou. No dia seguinte, obtive uma carta do vigário episcopal com minha liberação oficial. O próximo passo era conseguir que o bispo italiano, responsável pelo Santuário de São Miguel, me recebesse aqui oficialmente como sacerdote.

– Você conhecia dom Alberto ou seu sucessor, dom Marcelo? – Raniero estava intrigado.

– Nenhum dos dois.

– Então como fez para obter permissão para vir?

– Muito simples. Enquanto estava lecionando na La Sapienza, em Roma, recebi um convite para fazer uma homilia no Vaticano, por ocasião da festa de São Pedro e São Paulo, para um grupo seleto de padres e bispos.

José fez uma breve pausa para observar melhor a reação dos companheiros. Todos pareciam interessados em seu relato. Ele continuou:

– Conheci, naquela ocasião, o núncio apostólico da região, dom Alonzo. Como sabem, são os núncios apostólicos que escolhem os bispos das diversas localidades mundo afora. Ao fim do meu sermão, ele veio falar comigo. Disse que tinha sido tocado pelas minhas palavras e me deu um cartão com seus telefones. Insistiu que estava à disposição para o que eu precisasse. Graças a Deus, guardei o precioso tesouro e me vali dele.

José sorriu.

– Então foi o núncio apostólico que o acolheu em nossa região?

– Não exatamente. Quando telefonei ao homem, ele logo me reconheceu. Senti grande alívio em meu coração. Depois de me elogiar, perguntou se eu tinha tempo para ir à Itália. Gostaria que eu participasse de algumas reuniões que seriam conduzidas por ele. – José estreitou os olhos e suspirou. – Após contar a mesma história que acabei de expor aqui, antes que pudesse fazer meu pedido, o núncio me perguntou se eu gostaria de morar um tempo no monte Gargano. Disse que o Santuário de São Miguel precisava de padres e o novo bispo local, dom Marcelo, era seu grande amigo. Parece que fizeram o seminário maior juntos.

– Sim. Eles estudaram juntos lá em Roma – confirmou Raniero.

– Pois bem, ele disse que dom Marcelo lhe pedira que providenciasse bons sacerdotes para sua região.

– Incrível. Mas não vou dizer que é coincidência, senão Haskel vai ficar bravo! – disse Seiji em tom brincalhão, pois, para o amigo, tudo era Providência Divina.

– Fiquei pasmo com a informação e falei que gostaria muito de servir a Deus aqui, em Foggia. Expliquei a ele que esse era justamente o local para o qual gostaria de ir, pois tinha um grande amigo no santuário, o prior Raniero. O resultado, já sabem: aqui estou!

– Muito bem. Que reunião mais revigorante!

Raniero se levantou da cadeira para encerrar o encontro. Tudo tinha transcorrido muito bem até ali. José sentia que seu coração se livrara de um peso enorme. Agora, precisava se curar do trauma que a situação do Rio de Janeiro lhe causara.

CAPÍTULO IV

Pela metade

Uma hora e meia depois de ver sua filha pela primeira vez na UTI neonatal, Rafael retornou ao lugar onde Irene estava, bastante ansioso. Sua expressão demonstrava a inegável alegria de ser pai, mas também o medo de perder a filha. Afobado, narrou com detalhes seu encontro com a recém-nascida na maternidade.

– Desculpe ter ficado tanto tempo por lá. Mas não conseguia sair de perto da minha princesa! Ela é linda demais – falou Rafael, com a tristeza nos olhos e o sorriso nos lábios. – Mas confesso que estou um tanto preocupado com a saúde dela...

– Não faça essa cara, por favor – disse Irene, decidida como sempre. – Você precisa comemorar a vitória. Maria de Lourdes está bem. Acredito que seja uma precaução dos médicos, já que ela nasceu prematura.

– Pode ser – respondeu ele sem muita convicção.

– Aliás, o nome que vocês escolheram para a menina é lindo! – Irene tentou colocá-lo para cima.

Mudando de assunto, Rafael sugeriu:

– Vamos descer ao andar do centro cirúrgico. Talvez possamos conseguir alguma informação atualizada sobre Gabriela. Já se passaram várias horas que ela está lá dentro.

Caminharam juntos até o elevador. Agitada, Irene apertou o botão várias vezes, como se isso adiantasse de alguma coisa. Rafael, preocupado, olhou para os lados, procurando mais uma vez a jovem que tinha aparecido no sonho, com aqueles ensinamentos espirituais interessantes. Não havia ninguém por lá. De qualquer modo, após conhecer a pequena Maria de Lourdes, sentiu seu coração se aquietar um pouco. Estava, pelo menos, mais confiante. Sem dúvida obtivera uma vitória importante. Ainda não era o estado ideal para enfrentar a tormenta, mas era um bom começo. Havia uma chance de tudo mudar para melhor.

∽

As palavras de padre José, proferidas mais de um ano antes, voltaram à cabeça de Rafael:

– Outro dia, veio uma senhora se confessar comigo. Não posso mencionar o que ela me falou, pois, como sabem, sou obrigado a respeitar o sigilo da confissão. Um sacerdote não pode partilhar as intimidades que ouve dos fiéis.

– Claro – concordou Rafael, e Gabriela sorriu.

– Mas ensinamentos importantes que pesco durante o ofício são outra história. Penso que seja um dever meu partilhar com os amigos e paroquianos. – Foi a vez de José sorrir. – Durante aquela confissão, aprendi algo belo sobre os milagres de Deus que quero dividir com vocês.

– Seria uma satisfação muito grande – respondeu Gabriela.

– A mulher era casada e tinha três filhos. Sua mãe, uma senhora de idade avançada, morava sozinha em Paraty, no sul do estado do Rio de Janeiro. Numa sexta-feira à noite, com a intenção de visitá-la, a mulher reuniu a família para a viagem de carro. Passariam o fim de semana naquela cidade. No meio do percurso, uma forte chuva caiu. A estrada, com bolsões de água, ficou muito perigosa. Pressentindo que algo de mau lhes sucederia, a mulher sugeriu ao marido que esperassem em alguma pousada ou restaurante até o tempo melhorar, para depois seguirem o caminho. O homem recusou. Disse que tinha tudo sob controle e estava acostumado a enfrentar condições adversas naquele percurso. Minutos mais tarde, o carro derrapou, capotou e se chocou com muita violência contra a parede rochosa que se erguia do lado direito da rodovia.

– Já conhecemos essa história – interrompeu Gabriela. – A mulher faz parte da pastoral dos doentes e, por diversas vezes, eu a acompanhei nas visitas evangelizadoras aos hospitais.

– Verdade. Ela se chama Glória. Uma mulher muito simpática – acrescentou Rafael.

– Imaginei que a conhecessem, pois, além de ter o dom da alegria, é uma mulher muito atuante na nossa paróquia – disse José. – Só fiz essa introdução para ter certeza de que identificariam a pessoa. O ensinamento que gostaria de partilhar com vocês veio dela. – O padre pigarreou. – Em determinado momento da confissão, eu discursava sobre o sofrimento de se perder a família em um acidente trágico, quando ela me interrompeu. Para minha surpresa, ela se mostrou conformada, dizendo não ser necessário convencê-la de que aquilo tudo fazia parte dos planos de Deus. Antes que eu pudesse voltar a falar, Glória afirmou que o evento desafortunado havia sido fundamental em sua conversão. Fiquei tão impressionado que, afundando na cadeira, emudeci.

– Meu Deus! A mulher perdeu a família num acidente de carro e se converteu por isso? – Rafael mal podia acreditar no que ouvia.

– Que fé! – exclamou José. – Aliás, me esqueci de contar mais uma informação. Glória não foi a única a escapar com vida naquela noite. Seu filho mais velho foi levado em coma para um hospital da região.

– Verdade. A própria Glória, quando estávamos juntas em missão pelos hospitais, sempre me falava, com o maior orgulho, desse filho – lembrou Gabriela.

– Você o conhece? – indagou Rafael à esposa, pois não se recordava do rapaz.

– Vocês dois o conhecem – José se intrometeu.

– Claro. Rafael também o conhece.

– Eu o conheço? Quem é? – Rafael ficou surpreso.

– Padre Miguel – falou Gabriela com toda a calma.

– Aquele padre jovem que vem auxiliá-lo aqui na paróquia de vez em quando? – perguntou Rafael ao sacerdote.

– Ele mesmo. No momento do acidente, todos os passageiros usavam cinto de segurança. Mas o impacto contra a parede rochosa foi tão violento que ela penetrou a lataria, atingindo o lado onde Glória e Miguel estavam sentados. Foi um verdadeiro milagre que ambos tenham sobrevivido. Inexplicavelmente, ela só quebrou os braços. Já Miguel levou a pior. Ficou em coma por quarenta dias no CTI e teve fraturas múltiplas pelo corpo todo, sobretudo nas pernas.

– De fato notei que ele anda mancando – comentou Rafael.

– O fato de poder se movimentar sem o auxílio de uma cadeira de rodas já é uma grande bênção. Ele perdeu parte do pé direito. Aliás, depois de dez dias, os médicos chegaram a pensar que o rapaz não tinha mais jeito. No fim daquele dia fatídico, a equipe do CTI comunicou à nossa paroquiana que o estado clínico de seu filho não apresentava nenhuma evolução desde que ele chegara. Não havia mais nada a ser feito em prol do jovem. Perguntaram a ela se poderiam desligar os aparelhos.

– Que absurdo! Não poderiam ter sugerido isso! – exclamou Rafael, revoltado.

– Eu sei. Até por essa situação Glória teve que passar. Muito firme, ela falou que, enquanto existisse vida no corpo de Miguel, fazia questão que lhe dispensassem o melhor tratamento possível. A partir dali, teve certeza de que a medicina humana tinha encontrado seu limite. Precisava de um milagre. Decidiu, então, vir aqui nesta igreja e pedir de joelhos a Jesus. Em vez de formular sua oração com belas palavras, atrapalhada pelas lágrimas insistentes, Glória só teve forças para pedir ao Senhor que curasse o filho.

– Deve ter sido um golpe muito duro – interrompeu Rafael. – Eu, por exemplo, não consigo me ver sem Gabriela. Imagine se meu filho estivesse entre a vida e a morte? Pior ainda: e se precisasse encarar a dura realidade do falecimento de minha mulher e de meu filho ao mesmo tempo? Não teria um décimo da força dessa mulher!

– Sem dúvida! Glória me disse que, naquele dia, perdeu as contas de quantas vezes repetiu o mesmo pedido ao Senhor.

– Seja mais específico – disse Gabriela. – Quais foram as exatas palavras usadas por Glória? Isso ela nunca me contou.

– O padre já falou: "Senhor, cura meu filho" – Rafael se intrometeu.

– Não foram essas palavras. – José sorriu. – Ela rezou da seguinte forma: "Senhor, pelo seu sacrifício na Santa Cruz, que o sangue e a água vertidos de sua chaga do coração cubram meu filho, Miguel, e o curem."

– Oração poderosa. – Gabriela estava satisfeita.

Contente com a reação da mulher, o padre continuou:

– Após uma hora e meia, quando seus joelhos já estavam dormentes, ela tentou se levantar para ir embora, mas, como tinha talas de gesso nos dois braços, não conseguiu. Olhou para os lados com a intenção de pedir ajuda a alguém, mas constatou que estava só. Sem alternativa, abaixou a cabeça e pediu ao próprio Jesus que a erguesse dali, pois estava cansada, cheia de dores e queria voltar para casa. Segundos depois, um jovem muito alto a suspendeu com facilidade e a ajudou a sair da igreja.

– Que sorte! – exclamou Rafael.

– Sorte não existe. Foi Deus quem enviou o homem – corrigiu Gabriela mansamente.

– Muito simpático, o sujeito a acompanhou até sua casa – retomou José. – No trajeto, conversaram a respeito da situação que ela enfrentava. Antes de se despedirem, ele disse a Glória que não parasse de bater à porta do Senhor, apesar da aparente derrota. Ela havia comentado com ele que, até então, o filho não apresentara nenhuma melhora no quadro clínico. Para uma mãe, aqueles dias eram de tensão e medo.

– Isso de fato desanima qualquer ser humano. Eu estaria destruído! – comentou Rafael.

– Entendo. Inclusive, a resposta que Glória deu ao homem foi nessa linha: estava triste por ter acreditado que Deus a tinha favorecido com um milagre, permitindo que sobrevivesse junto com o filho. Pensava que o Criador a deixaria viver na companhia de Miguel por muitos anos, mas estava enganada. Pelo desenrolar dos acontecimentos, o filho vegetaria naquele leito de hospital até a morte.

– Que história mais triste. Como uma situação assim pode converter alguém?

– Deixe José contar o ensinamento que ouviu – pediu Gabriela com delicadeza. – Essa é a parte mais importante!

Seu marido assentiu.

– Depois de escutar atentamente o lamento de Glória, o rapaz a encarou com seriedade, parado no portão da casa dela, e disse em tom profético: "Deus nunca faz milagres pela metade. Se você crê de verdade, verá!" Despediu-se e foi embora. Ela nunca mais o encontrou.

– Ele não disse como se chamava?

– Esqueci de dar essa informação. Claro que sim. Logo ao saírem da igreja, Glória quis saber seu nome. Era Ezequiel.

– Interessante que o rapaz tenha aparecido quando ela mais precisava, dentro da nossa igreja, para depois nunca mais dar as caras. – Rafael estava intrigado.

– Glória me apresentou uma teoria.

– Sobre nunca mais tê-lo encontrado? – perguntou Gabriela.

– Exato. O tal Ezequiel não era humano.

– Ah, por favor! Que absurdo... – Rafael não se conteve.

– Pois é... Ela me explicou que suplicou a Deus por ajuda e, instantaneamente, Ele enviou seu anjo da guarda para socorrê-la. O anjo havia se materializado na forma de um homem jovem. Segundo Glória, ela teve a graça de conhecê-lo pessoalmente e saber seu nome.

Daquele dia em diante, passou a invocá-lo em todas as suas orações. Ela garante que os resultados que obtém são excelentes.

Aquela conversa com padre José agora parecia muito importante para Rafael. Se o tal Ezequiel era o anjo da guarda de Glória, pouco lhe interessava. Mas, se a jovem médica negra que lhe aparecera em sonho era um ser angélico, a coisa mudava de figura. Ela poderia ser seu próprio anjo da guarda. Segundo havia aprendido com os sacerdotes amigos, anjos não tinham sexo e poderiam se materializar na forma que desejassem diante dos olhos humanos.

Talvez Deus não o tivesse abandonado. O sonho poderia ser um sinal de que Ele ouvira suas orações e lhe enviara um grande reforço para o combate. Quem poderia lhe esclarecer essa dúvida?

Enquanto não encontrava alguém qualificado para lhe explicar melhor a questão dos anjos da guarda, o fundamental era focar sua mente no fato de que Deus não fazia milagres pela metade. Para Glória, o milagre tinha sido completo. A chave para tanto tinha sido a fé. Rafael não podia titubear agora. Olhar para Maria de Lourdes cheia de tubos, atada a aparelhos, era duro. Mas, ao mesmo tempo, gratificante. Significava que a luta não havia terminado. Precisava seguir o exemplo de Glória.

Se a pequena criança, que acabara de chegar ao mundo, demonstrava tanta vontade de viver, era obrigação dele, como adulto e pai, ter a mesma atitude positiva.

– A gente reconhece nela uma incrível vontade de viver. Na minha experiência, quando isso acontece, a criança sai vitoriosa.

A voz da pediatra, confirmando o que Rafael já percebera, o fez voltar ao tempo presente. Enquanto não surgiam notícias sobre Gabriela, ele retornara ao local onde estava a incubadora para visitar a filha e orar por ela. Conforme combinado, Irene o avisaria pelo celular tão logo soubesse de algo sobre sua esposa.

– Dra. Viviane, que bom que voltou. – Rafael sorriu. – Tenho certeza de que, em pouco tempo, poderei pegá-la nos braços.

– Também acho. – Ela retribuiu o sorriso. – Se quiser, pode ficar aqui até as dez da noite. Infelizmente, não temos uma cadeira para oferecer, mas, se conseguir permanecer em pé, terá mais algum tempo para curtir sua filha.

Então a médica se despediu.

Rafael estava de costas para a grande vidraça por onde os diversos parentes e curiosos se acotovelavam para ver os recém-nascidos. Com sede, resolveu interromper a visita a Maria de Lourdes, sair da maternidade e ir até o corredor do mesmo andar. Ali havia uma máquina que vendia água, sucos e refrigerante. Ergueu os olhos e checou o relógio do local, que marcava 17h45. O dia passava numa velocidade assustadora. Gabriela estava havia horas no centro cirúrgico. A situação devia estar bem complicada para a equipe do Dr. Kamel, como era de se esperar.

Ao se virar, Rafael vislumbrou um homem de hábito franciscano no meio das pessoas que observavam o berçário. Olhou melhor na direção do sujeito e o viu sair do local. Ele parecia familiar, mas não deu para ter certeza de quem era.

Com a garrafa de água na mão, dez minutos depois Rafael resolveu descer ao andar onde Gabriela estava sendo operada. Sem paciência de esperar pelo elevador, tomou as escadas. Quando abriu a porta corta-fogo, viu um homem conhecido ao lado de Irene.

– Frei Antônio?! – exclamou, levando as mãos à cabeça.

Depois de pouco mais de um ano, lá estava o sacerdote que havia celebrado seu casamento com Gabriela.

– Pensei que estava em Portugal ensinando teologia para os seminaristas de Fátima.

– Rafael, meu querido amigo! Há quanto tempo não nos vemos?

O frade lhe deu um abraço. Pela aparência, devia estar exagerando na prática do jejum, pois Rafael notou que estava magro demais.

– Vejo que já encontrou Irene.

– Sim – disse a mulher. – Ele chegou há pouco aqui e estamos conversando a respeito dos milagres. Da mesma forma que eu, ele crê que Maria de Lourdes vai sair curada em breve.

– Vejo que está bem amparado – disse frei Antônio. – Irene é mulher de muita fé. Coisa importante num momento como este.

– Você não faz a menor ideia do quanto necessitamos de suas orações por aqui – comentou Rafael com sinceridade.

– Claro que faço. Por isso, vim. – Os olhos do franciscano brilhavam.

– Você é o reforço que pedi a Deus para me ajudar no combate espiritual. A situação aqui está dificílima. Preciso muito do seu socorro. Quando volta para a Europa? Espero que fique conosco por um bom tempo – disparou Rafael. – Aliás, faço questão de que se hospede lá em casa.

– Sabe que fico muito honrado, mas não posso. Tenho que ficar no convento, com meus irmãos franciscanos.

– Que pena! Mas o que importa é que está aqui.

– Sim, meu anjo da guarda me impulsionou a voltar ao Brasil por estes dias. Estou de férias e com saudades de vocês. Meu superior lá no convento em Portugal tinha me dito que não poderia me liberar para vir ao Brasil. Eu já estava conformado quando, depois do jantar, na última sexta-feira, ele apresentou minha passagem e disse que era para eu vir. Tinha mudado de ideia repentinamente. Não entendi nada. Acho que quis me fazer feliz e veio com essa surpresa. Ele sabia o quanto eu queria vir.

– Poxa, o sujeito poderia ter te liberado desde o início – reclamou Irene.

– Ele é um bom homem – frei Antônio o defendeu de imediato. – Nos damos muito bem. Enfim, sem questionar, embarquei. Por isso, assim que cheguei ao Rio de Janeiro, resolvi ir até a paróquia do nosso padre José, para encontrar o pessoal. Quando cheguei lá, me disseram que ele havia se transferido para a Itália por tempo indeterminado. Entristecido, perguntei por Gabriela, tinha esperança de que ela ainda estivesse aguardando a data da cirurgia. Mas me contaram que ela estava para ser operada e não aparecia por lá havia algum tempo.

– Eu tinha te falado – replicou Rafael. – Semana passada conversamos sobre como iria se desenrolar o tratamento de Gabriela por telefone. Inclusive, você não me contou que viria.

– Sim, mas não sabia o dia exato da internação. Quanto a vir, realmente não sabia se seria possível. Como você sabe, nós, franciscanos, temos voto de obediência. Nem passa pela minha cabeça quebrá-lo.

– Claro. Entendo perfeitamente. Ainda bem que podemos contar com sua força espiritual.

– Antes de vir para cá hoje, celebrei a santa missa. Aproveitei para colocar no altar os caminhos de padre José, a saúde de Gabriela e o seu coração. Ao elevar o cálice, no momento da transubstanciação, ouvi meu anjo ministerial me informar que, ainda esta semana, eu falaria com minha querida amiga.

– Anjo ministerial? Como assim?

– Como sacerdote, além do meu anjo da guarda, aquele que me fez vir ao Brasil, tenho um anjo ministerial. Ele me acompanha desde que fui ordenado padre, para me auxiliar nas minhas funções sacerdotais.

– Então o tal ministerial não é um anjo da guarda? – quis saber Irene.

– Não. Meu anjo da guarda, sempre que pode, me acompanha nas mais diversas tarefas. Agora, para exercer meu ofício de sacerdote, conto com outro ser angélico: o anjo ministerial, especialmente designado por Deus para me dar uma assessoria de luxo! – disse Antônio, com seu habitual bom humor.

– Entendi. Confesso que nunca tinha ouvido falar dessas criaturas – falou Rafael.

– Não tem problema. Atualmente, os católicos estudam pouco o assunto. Outro dia podemos conversar mais sobre essas criaturas fantásticas. Por hora, basta a informação que ele me passou durante a missa: Gabriela vai falar comigo ainda esta semana.

– Graças a Deus! Eu creio. E você, Rafael? – perguntou Irene.

– Tomara que seu anjo esteja bem informado. A situação é muito grave e temos grande chance de perder Gabriela e Maria de Lourdes. Até agora, não recebi um informe conclusivo da equipe médica.

– Por que você não ingressou no centro cirúrgico para acompanhar os trabalhos? Como médico, poderia, não? – questionou frei Antônio.

– Porque não tive coragem. Acho que iria atrapalhar muito os médicos. Melhor do jeito que está, apesar do meu nervosismo aqui fora.

– Com relação a Maria de Lourdes, posso garantir que será uma grande mulher.

– Isso é uma profecia? – indagou Irene.

– Chamem do que quiser, mas guardem essa informação.

– Sabe, também sinto que ela sairá daqui com vida, bem de saúde, no meu colo – comentou Rafael. – A pediatra que está cuidando dela me disse que há 50% de chance de ela sobreviver.

– Você está certo – afirmou Irene.

– Quanto a Gabriela, infelizmente não tenho a mesma sensação. – O rosto de Rafael se obscureceu.

– Deve ser seu lado neurologista falando alto – opinou frei Antônio. – Com todo o respeito, não preciso saber o que a equipe médica pensa. O time celestial já me disse o que eu queria saber. Então tire essa tristeza do rosto. Proclamemos que hoje é o dia do restabelecimento de sua esposa. Vim para testemunhar esse milagre divino.

– Será?

– Duvida? Deus já começou a responder a nossas orações – interveio Irene. – Lembre-se da menina linda que está lá na incubadora. Sua filha! Você já é pai, o que é uma grande bênção. Em breve, terá as duas em seus braços.

– Ela é linda, não é? – Os olhos de Rafael voltaram a brilhar.

– Tão bela quanto a mãe! – exclamou frei Antônio.

– Também acho. – O sorriso de Rafael enfim reapareceu.

Se as palavras do frade estivessem vindo do seu dom de profecia, talvez Gabriela escapasse da morte. Se fossem apenas para lhe dar apoio, provavelmente a perderia. Rafael já presenciara algumas vezes os dons místicos daquele homem. Eram de impressionar qualquer pessoa. Mas afirmar que falaria com Gabriela naquela semana era uma declaração ousada. Ainda que a cirurgia desse certo, talvez a esposa precisasse ficar algum tempo em coma induzido. Ninguém poderia saber com exatidão como seu corpo reagiria depois de um procedimento tão complicado.

Buscando direcionar a mente de Rafael para coisas boas, frei Antônio retomou a conversa sobre os seres angélicos:

– Pelo visto, seria bom que você se familiarizasse mais com o poder dos anjos de Deus. Eles podem ajudar muito numa situação como esta que está vivendo.

– Acredito que sim – disse Rafael educadamente.

– Pelo que me lembro, você já teve uma experiência interessante com um arcanjo.

– Verdade. Como você sabe?

Rafael pensou que o homem estava se referindo à médica sobrenatural que lhe havia aparecido. Será que era mesmo um ser angélico? Se era, poderia ter se comunicado com o frade. Diziam que ele tinha um contato permanente com os anjos da guarda das pessoas.

– Você mesmo me contou, em Roma, por ocasião do seu casamento com Gabriela, lembra?

– Sim. Meu Deus, havia esquecido! Minha cabeça não está nada boa... – Rafael olhou, desapontado, para o chão. – Por falar no assunto, acho que hoje tive uma experiência com mais um ser angélico.

Era a chance de obter mais informações sobre a mulher do corredor. Se ela era um anjo, talvez pudesse obter a graça da cura de Gabriela.

– Isso é muito bom. Gostaria de ouvi-la – encorajou-o frei Antônio.

– Eu também! Você nunca me falou a respeito disso – protestou Irene.

Rafael respirou, olhou para o fundo do corredor e, consciente de que não ouviria notícias da equipe médica tão cedo, assentiu. Por enquanto, era melhor se fixar num assunto espiritualizado.

– Como Irene não sabe da história do arcanjo, vou contá-la de novo. Ocorreu quando eu estava num navio, atravessando o mar Adriático, na peregrinação religiosa onde eu e Gabriela iniciamos nosso namoro.

– Boa ideia – encorajou Irene, animada para ouvir.

– A visão que tive do anjo, se é que pode ser chamado assim, ocorreu enquanto eu dormia na minha cabine, à noite. O navio estava indo em direção à Croácia.

– Não entendi – interrompeu Irene. – Você viu um anjo com os próprios olhos? Ele apareceu para você dentro da cabine?

– Não exatamente. Adormeci. Depois de um tempo, me dei conta de que, mesmo de olhos fechados, eu conseguia ver toda a cabine em 180 graus! Podia também ver através das paredes da cabine. Uma coisa louca.

– Como uma visão de raios X? – perguntou Irene, impressionada.

– Isso aí.

– Em algumas confissões que atendi, pessoas me narraram que tiveram um fenômeno parecido com o seu – explicou o frade. – Não vejo razão para o espanto, Irene.

– Não conheço ninguém que tenha passado por isso. Peço desculpas pela minha ignorância e susto!

– Ora, não precisa se desculpar. Quando não sabemos determinado assunto, melhor perguntar. Assim, podemos tirar nossas próprias conclusões. Me desculpem a intromissão. Às vezes, esqueço que não estou em sala de aula. Rafael, melhor você prosseguir – disse Frei Antônio, gesticulando para encorajar o amigo.

– Na hora em que me dei conta do que estava acontecendo, fiquei nervoso. Pensei que era um sonho, mas ao mesmo tempo indaguei: como pode? Estou consciente de tudo o que está ao meu redor. Estou vendo com precisão toda a cabine, e até mesmo a tempestade e o mar do lado de fora! Confesso que fiquei muito impressionado e tive medo.

– Por que medo? – quis saber o frade.

– Neurose de neurologista! Achei que podia ser um aneurisma ou coisa do gênero causando alucinações.

O sacerdote riu. Rafael continuou:

– Enquanto eu estava lá, deitado de olhos fechados e enxergando tudo, aconteceu algo ainda mais impressionante.

– O que poderia ser mais impressionante do que isso que acabou de contar? – perguntou Irene.

– Apareceu sobre o mar, flutuando no meio da tempestade, uma criatura que brilhava, vestida com uma túnica amarela e magenta. Ela estava próxima ao navio. Fiquei pasmo.

– Um anjo! – bradou Irene.

– Acho que sim – respondeu Rafael, pensativo. – Quando fixei minha atenção nele, ele falou: "Connors." Na hora, gelei e pensei: ele conheceu meu falecido pai!

– Ou então estava te chamando, o que acho mais plausível – opinou frei Antônio.

– Como assim?

– Seu sobrenome também não é Connors?

– Verdade. O problema é que, ao ouvir sua voz, levei um susto tão grande que senti um tranco no corpo e um estampido surdo. Acordei.

– Adorei sua experiência angélica! – comentou Irene.

– Uma parte dela.

– Teve mais? – Ela estava interessada.

– Sim. Acabei descobrindo quem o ser angélico era, em outro evento extremamente esquisito.

– Estou muito curiosa!

– Foi na mesma peregrinação. Estava com um grupo em uma igreja, na cidade de Mostar, na Bósnia, quando apareceu uma moça possuída pelo demônio.

– Nossa! Até um demônio veio até você – falou Irene, impressionada.
– Literalmente. Dominando o corpo da garota, ele veio na minha direção.
– Jura?
– A moça parou na minha frente com uma expressão horrível e com uma voz gutural. Por alguns instantes, pensei que se tratava de um surto psicótico ou de uma doença cerebral. Mas o rosto lindo dela havia se transformado e ela parecia um lobo raivoso. Além disso, falou em latim e em inglês comigo... Depois eu soube que ela não dominava essas línguas.
– O que ela disse?
– Que não queria perder minha alma para o maldito Arcanjo das Tempestades, Rafael.
– Você tinha visto São Rafael Arcanjo!
– Foi o que frei Antônio também achou, quando lhe narrei a experiência – falou Rafael com um sorriso. O frade sorriu de volta, assentindo. – Apesar de tudo, não tenho certeza de que aquela criatura era o famoso arcanjo da história de Tobias. Seja como for, foi o que o demônio gritou.
– Olha, pela minha experiência, ele sabia muito bem o que estava falando – interveio o frade.

Irene e Rafael olharam para o frade com interesse. Todos ficaram calados por alguns segundos. Então, Rafael quebrou o silêncio:
– Com a confusão armada dentro da igreja, um frade franciscano chamado Zak se apresentou para executar um exorcismo nela. Ao final, expulsou o ser demoníaco. Ela voltou ao normal.
– Agora, gostaria de ouvir sua experiência de hoje. Foi com o mesmo arcanjo? – perguntou o sacerdote.
– Rafael é muito querido por Deus. Mais de uma experiência angélica – comentou Irene. – E eu que sirvo a Deus há tantos anos nunca tive uma sequer...
– Calma. Deus sabe o que faz – afirmou frei Antônio. – Pode falar, Rafael.

O marido de Gabriela discorreu detalhadamente sobre o encontro que tivera mais cedo, em sonho, com a jovem de pele de ébano reluzente. Irene, uma vez mais, estava muito impressionada. Sem manifestar surpresa, o frade explicou a Rafael que a moça era, na verdade, seu anjo da guarda.

– Sempre achei que você era um homem protegido pelos anjos de Deus – disse frei Antônio.

– Por quê? – quis saber Rafael.

– Só um homem especial poderia se casar com uma mulher como Gabriela.

– Apesar de vocês me acharem protegido pelo Senhor, tenho que confessar que, durante boa parte do dia, pensei que a cura de Gabriela era uma fantasia minha.

– Sua filha já nasceu. Eu mesmo presenciei seu olhar de satisfação, quando estava parado em frente à incubadora. É impossível negar que a mão de Deus está ali. Olha, não sou médico, mas acredito que o nascimento da menina se deu em condições extraordinárias. Se nosso Pai já começou a operar o milagre, não vai parar no meio.

– Sim, tem toda a razão – apoiou Irene.

– Deus está ao seu lado e atendeu as orações para sua filha. Agora, basta que consinta sobre sua mulher. Não é simples? – O sorriso do sacerdote era contagiante.

– Quando você coloca desse modo, parece simples, mas, no fundo, é muito difícil obter um milagre.

Rafael não conseguia abandonar seu raciocínio lógico.

– As coisas de Deus são ao mesmo tempo simples e difíceis. Nisso concordamos – disse o frade.

Rafael, sem rodeios, deu sua posição sobre os acontecimentos recentes:

– Não quero soar ingrato, sei que já sou um homem de sorte. Minha filha nasceu com vida e tem chance real de sobreviver. Ainda que minha mulher morra hoje, não poderei falar contra o Pai Celestial.

– Não diga isso. As palavras têm poder – intrometeu-se Irene. – Da sua boca devem sair frases que lhe transmitam o bem. Olhe pelo lado positivo: sua filha sobreviveu e sua mulher está viva. Ambas estão na luta. O combate não terminou e você vencerá!

– Acho que esse tipo de guerra é uma tortura psicológica. Acaba comigo. Às vezes me questiono se sou um lutador de verdade...

– Fazer perguntas a si mesmo é algo bom. A partir das perguntas que nos fazemos, construímos os caminhos que vamos tomar nesta vida. Então, se me permite, vou lhe dar um conselho importante. Você precisa melhorá-las. Faça perguntas que o conduzam ao sucesso.

Todos guardaram silêncio por alguns instantes. O frade colocou a mão direita no ombro de Rafael e voltou a falar:

– Saiba que todos nós, seres humanos sobre a face da Terra, somos lutadores. Viemos aqui para combater, vencer e ganhar uma morada no Reino dos Céus, cada qual enfrentando sua luta particular. Alguns são mais resistentes que outros. Você pode estar cansado, mas tenho certeza de que não desistiu. Se tivesse jogado a toalha, não estaria aqui em pé esperando informações sobre a cirurgia de Gabriela. Estaria deitado na cama, chorando.

– Suas palavras sempre me dão ânimo – agradeceu Rafael. – Perdi as contas de quantas vezes pedi a Jesus hoje que mandasse alguém para me socorrer. O Pai sabe que eu precisava dos meus amigos sacerdotes: padre José e você. Ele atendeu meu pedido pela metade.

– Pode parecer que foi pela metade, mas acredito que tenha sido o suficiente para que se saia vitorioso. – O frade se mostrava tranquilo o tempo todo.

A porta do centro cirúrgico se abriu, interrompendo a conversa. Dois médicos saíram em direção aos três. Ao perceber a expressão de ambos, Rafael sentiu o sangue gelar. Olhou para frei Antônio, que mantinha a serenidade e o leve sorriso. Observou que Irene estava com o olhar tenso. Pelo aspecto dos homens, estava claro que a notícia não era boa.

– O senhor é o Dr. Rafael, marido de Gabriela?

– Sim, sou eu. Onde está o Dr. Kamel? – perguntou ele ao médico mais jovem.

– Ele está no comando da cirurgia. Estamos num momento delicado e ele não pode deixar a sala onde está operando Gabriela. – O médico inspirou e deu a notícia: – Sua esposa teve uma parada cardíaca durante o procedimento.

Rafael sentiu as pernas formigarem e o coração bater em um ritmo descompassado.

– Doutor, ela morreu?

– Não. No momento, estamos tentando reverter o quadro. Precisamos retornar para a sala de cirurgia. Quando tivermos alguma informação relevante, viremos até o senhor. Peço que não saia deste corredor.

Os médicos se retiraram na mesma pressa com que chegaram. Rafael desabou sobre uma das cadeiras na lateral do corredor. Irene e Antônio se entreolharam em silêncio.

CAPÍTULO V

Chamado de Deus

No dia seguinte, José começaria a direção espiritual com os sacerdotes miguelinos. O primeiro seria o padre Haskel. O polonês já o esperava quando o brasileiro adentrou a capela.

– Desculpe o meu atraso – falou José, sem jeito, ao ver que o outro padre lia calmamente a Bíblia.

– Você não se atrasou. Eu cheguei mais cedo para preparar nosso encontro. – Haskel o recebeu com um sorriso.

– Que bom!

– Sente-se aqui – pediu Haskel, apontando a cadeira que estava à sua frente.

– Antes de mais nada, gostaria de lhe agradecer pelo tempo precioso que vai dedicar a mim. Sei que todos os sacerdotes daqui são muito ocupados.

– Não se preocupe com isso, por favor. Quando temos um objetivo em mente e achamos que ele vale a pena, arrumamos tempo, pode ter certeza disso.

– De qualquer forma, muito obrigado pela atenção e o carinho com que estou sendo recebido.

– Você ainda não percebeu como estamos honrados e felizes com sua presença. Por isso, decidimos doar uma parcela do nosso tempo e das nossas experiências a você.

– Então as reuniões privadas com os miguelinos não foram algo imposto pelo Raniero?

– Raramente Raniero impõe algo a nós. Ele é o tipo de prior que procura discutir as questões com os irmãos antes de bater o martelo. – Haskel parecia se divertir com a pergunta de José.

– Ontem, depois que contei minha história, fiquei curioso para saber um pouco da trajetória de cada um de vocês.

José queria entender melhor a razão daquela benesse dos miguelinos. Para tanto, precisava conhecê-los melhor.

Compreendendo a intenção do brasileiro, Haskel não achou estranho e começou a falar de si:

– Nasci e fui criado em Cracóvia. Tive boa educação e meus pais eram muito amorosos. Meu pai era advogado e tinha um bom relacionamento com a cúria local. Nossa paróquia tinha um padre muito especial, Karol Wojtyla.

– O papa João Paulo II?! – perguntou José, espantado.

– O próprio. – Haskel sorriu. – Estive na companhia dele por diversas vezes.

– Que privilégio! Ele lhe disse algo especial que possa partilhar comigo? – acrescentou José sem pensar.

– Sim. Ele foi decisivo na minha escolha pelo sacerdócio.

– Por favor, me conte como isso aconteceu. – José inclinou o corpo para a frente.

– Numa segunda-feira, quando eu ainda era garoto, acompanhei meu pai até o escritório de Karol. Ele tinha se comprometido a analisar documentos referentes a propriedades da Igreja na cidade. Enquanto meu pai vasculhava os papéis, eu observava algumas imagens de santos e quadros nas paredes do lugar. Wojtyla se aproximou e ficou ao meu lado. Depois de alguns segundos em silêncio, começou a falar sobre aquelas obras de arte.

– Então seu chamado para ser sacerdote veio diretamente do papa? – concluiu José de forma precipitada, atropelando a fala do outro.
– Acredito que não. Naquele dia, Wojtyla fez uma profecia a respeito da minha vida.
– Como assim?
– Observando os belos quadros na parede, como quem não quer nada, Karol me disse: "Seu futuro está aqui, na igreja." Vendo que fiquei com o olhar perdido, sem entender o que aquilo significava, ele acrescentou: "Quando o Senhor te chamar ao bom trabalho, diga sim, está bem?" Alguns anos se passaram até que eu compreendesse aquelas palavras e, com grande alegria, fosse ordenado sacerdote.
– Que história bonita! Mas pensei que você fosse miguelino.
– Sou.
– Pelo que entendi, originalmente você era padre da diocese de Cracóvia, certo? Como chegou aqui?
Haskel, animado, se empertigou para explicar:
– Fui ordenado lá na minha cidade natal pelo próprio Wojtyla, que era o arcebispo na ocasião. Ele me designou para trabalhar naquela mesma igreja onde, um dia, ele havia sido pároco.
– Então a profecia se concretizou!
– Sim, em cheio. Mas não fiquei lá por muito tempo. Karol e São Miguel me tiraram do meu país.
– É mesmo? O que aconteceu?
– Wojtyla decidiu me nomear exorcista oficial da diocese que comandava. Cismou que eu tinha um dom de libertação e que poderia ser muito útil ao povo. Explicou que precisava de um padre jovem para exercer a função.
– Não tinha mais gente qualificada por lá?
– Tinha. Mas, quando ele fez o anúncio oficial da vacância do cargo, requisitando candidatos, nenhum padre se apresentou.
– Nenhum? Talvez não acreditassem em possessões ou tivessem medo.
– Realmente não sei a razão. Não querendo decepcioná-lo, aceitei.

– Que honra! Ser convidado para ocupar um cargo na Igreja pelo próprio papa... Imagino que muita gente foi te procurar por causa da nomeação.

– Ele ainda não era papa. Mas você tem razão em uma coisa: chegavam pessoas de diversas partes da Polônia para que eu as exorcizasse. Depois que a notícia correu, precisei dedicar um dia inteiro da semana só para os exorcismos. – Haskel levou as mãos à cabeça, com um sorriso. – Após alguns anos, quando já havia sido nomeado cardeal e morava em Roma, Karol me visitou na Polônia.

– O que um homem tão importante como ele foi fazer lá atrás de um sacerdote?

– Dizer que meu nome estava circulando pelo Vaticano.

– Por quê?

– Segundo ele, porque eu tinha ganhado fama de bom exorcista na Europa – respondeu Haskel com semblante sério. – Em decorrência dessa suposta fama, o cardeal polaco foi me entregar um convite de um amigo, um bispo italiano. Na carta, o bispo requisitava minha presença aqui, na região de Foggia, explicando que necessitava com urgência de um exorcista de renome para servir ao Santuário de São Miguel Arcanjo. O que morava aqui acabara de falecer.

– Então imagino que você seja um dos maiores exorcistas da Europa.

– Não fale uma coisa dessas! Sou apenas um servo de Deus que, por acidente, acabou assumindo uma atividade que ninguém queria. – Haskel pareceu incomodado com o elogio.

– Ninguém quer trabalhar guerreando diretamente contra demônios. Eu, pelo menos, não aceitaria a função em hipótese alguma.

– Pode ser, mas acho que já me acostumei. Aliás, hoje em dia não saberia viver sem as sessões de exorcismo. – O polonês voltou a estampar um sorriso. – Enfim, ao ler a carta, respondi a Karol que não tinha intenção de sair da Polônia.

– Disse "não" ao papa?

– Ele não era papa ainda! – esclareceu Haskel outra vez. – Além do mais, eu o via como um amigo da família, não como uma autoridade do Vaticano. Apesar da minha recusa, Wojtyla não se deu por vencido e disparou uma nova profecia: "Abrace seu destino. Ele não está em terras polonesas."

– Foi aí que você aceitou?

– Não. Insisti com ele: era feliz na Polônia e não sairia de lá.

– Então como ele te convenceu?

– Começou a discursar sobre a mística e a importância do monte Gargano, o local onde houve uma aparição de São Miguel no século V. Falou sobre a proteção especial que o arcanjo dá aos exorcistas. Fiquei tão encantado com o que ouvi que decidi vir aqui e checar. Combinei com Wojtyla que seria apenas uma experiência de alguns meses, até o bispo arranjar algum italiano para o posto. Como pode ver, nunca mais voltei.

– Atualmente, quem é o exorcista oficial da região?

– Continua sendo eu – respondeu Haskel, rindo. – Não podia dar as costas para a missão que Nosso Senhor me confiou.

– Sua história é muito interessante.

– Fico feliz que tenha apreciado, mas gostaria de iniciar nossa reunião – Haskel cortou a conversa, preocupado com a hora.

– Claro. Vamos em frente.

– Escolhi uma passagem para começarmos. – Haskel estendeu a Bíblia a José. – Abra, por favor, na Primeira Carta de São Pedro.

José abriu na primeira página do livro e mostrou o texto ao polonês.

– Leia, por favor, em voz alta, o capítulo 2, versículo 19 a 20. Vai ver que é bem adequado à sua vida.

– "É louvável alguém suportar maus-tratos, sofrendo injustamente por amor a Deus. Que mérito haveria em suportar com paciência se vocês fossem esbofeteados por terem agido errado? Pelo contrário, se vocês são pacientes no sofrimento quando fazem o bem, isto sim é ação louvável diante de Deus."

José ergueu os olhos, sem dar uma palavra. Os dois se mantiveram mudos por alguns segundos. Haskel quebrou o silêncio:

– Durante sua apresentação, você contou que toda a perseguição que vem sofrendo partiu de um ato de amor. Você quis salvar a vida de um rapaz.

– Sim. Pensei que os policiais iriam matá-lo naquele beco.

– Continue a leitura, por favor. Agora, retorne ao primeiro capítulo da carta e leia a frase que começa no fim do versículo 2.

– "Vocês foram escolhidos de acordo com a presciência de Deus Pai e através da santificação do Espírito, para obedecerem a Jesus Cristo e serem purificados pelo seu sangue. Que a graça e a paz sejam abundantes para vocês."

– Que beleza! Por favor, prossiga com o capítulo 2, versículo 24.

– "Sobre o madeiro levou os nossos pecados em seu próprio corpo, a fim de que nós, mortos para nossos pecados, vivêssemos para a justiça. Através dos ferimentos dele é que vocês foram curados, pois estavam desgarrados como ovelhas, mas agora retornaram ao seu Pastor e Guardião."

– Seu ato heroico foi típico de alguém que pratica o Evangelho. Vive para a justiça. Mas o que fazer com relação às injustiças e agressões por que tem passado? A resposta está no sangue e nos ferimentos de Jesus.

– Você se refere ao precioso sangue de Cristo e às suas santas chagas?

– Exatamente.

A voz firme do polonês indicava sua segurança com relação ao tema, mas José não conseguia ver aonde ele queria chegar com aquele discurso.

– Desculpe minha ignorância. Claro que nós, católicos, sabemos que fomos salvos pelo sacrifício de Jesus na cruz. Compreendemos que o Senhor carregou em seu corpo chagas por amor à humanidade. Mas, na prática, como isso vai sanar minha tristeza?

– Vamos por partes. O primeiro passo é admitir que as chagas de Jesus e seu sangue têm poder sobre nós nos planos físico, mental, sentimental e espiritual.

– Eu admito – respondeu José, mas não soou muito convincente.

– Compreende que me refiro ao hoje? – frisou Haskel, ao perceber a hesitação do brasileiro. – Aqui e agora, aquele sangue e aquelas chagas podem atuar sobre nossa saúde espiritual, física, mental e afetiva. Você acredita nisso?

O olhar de Haskel era inquisitivo. José, claramente em dúvida, ficou em silêncio. O que o polonês queria dizer com aquilo?

– Vamos fazer o seguinte: com minha autoridade de exorcista, vou clamar que o sangue da cruz de Cristo seja aspergido sobre você e pedir sua libertação pelas chagas do Senhor. Tudo o que há de desconforto e dor no seu coração vai, dia após dia, embora. A única coisa que você precisará fazer será manter a mente aberta durante a oração. Está disposto a experimentar?

José concluiu que seria rude demais impedir que o homem exercesse seu ministério. Apesar de não acreditar que aquele ritual pudesse lhe trazer algum benefício, assentiu. Haskel, feliz, levantou-se da cadeira e empunhou uma cruz de madeira.

– Veja, este crucifixo me foi dado pelos frades capuchinhos do convento de San Giovanni Rotondo.

– Aquele próximo daqui, onde está o corpo de São Pio?

– Exatamente. – Haskel estendeu a mão para que José o examinasse.

Quando o brasileiro o tomou nas mãos, o polonês disse:

– Note que, no meio da cruz, há uma medalha de São Bento e, acima, uma relíquia de São Pio.

– Muito interessante.

– Esta é a cruz com a qual, há anos, realizo todas as minhas orações de libertação e os exorcismos.

José não sentiu nada de diferente ao segurar a cruz, mas compreendia sua importância para o polonês.

– Senhor nosso Deus, ilumina com seu Santo Espírito nossa oração – começou Haskel. Ao notar a postura do padre brasileiro, todavia, pediu: – Por favor, descruze as pernas e deixe os braços relaxados ao lado do corpo. Do contrário, sua linguagem corporal indicará que está fechado à graça do Espírito Santo.

— Claro, desculpe!

— Feche os olhos e acompanhe mentalmente minha oração, por favor. Jesus Cristo, nosso mestre e salvador, invocamos sobre o padre José, filho predileto da Virgem Maria, seu precioso sangue, aspergido durante sua agonia no Getsêmani. Que ele seja libertado imediatamente de todo medo, depressão, sensação de impotência diante dos desafios e traumas sofridos.

O sacerdote tocou a fronte do brasileiro com a cruz. Ao sentir um forte calor invadir sua cabeça e descer pela coluna, José se remexeu na cadeira, assustado. Sua cabeça ficou um pouco vazia. O miguelino prosseguiu:

— Amado Jesus, pelo sangue derramado de suas feridas durante a flagelação, clamo pela libertação do padre José, sobretudo no que diz respeito às injustiças e humilhações recém-sofridas.

Haskel pressionou o madeiro no topo da cabeça de José antes de continuar.

— Senhor Jesus, pelo sangue aspergido por ocasião de sua coroação de espinhos, libertai o padre José de toda e qualquer perseguição empreendida pelo clero. Meu querido Jesus, por fim lhe peço, libertai o padre José, pelo sangue e água que brotaram de sua santa chaga do coração no momento em que a lança do soldado romano o transpassou na cruz, de toda e qualquer doença física ou espiritual.

Haskel segurou a cabeça do brasileiro com a mão esquerda e pressionou a cruz em sua testa com a mão direita. Em seguida, José não ouviu mais nenhum som. A escuridão rapidamente o abraçou. Ele perdeu o equilíbrio e foi ao chão, nocauteado como um boxeador.

Uma hora depois, José abriu os olhos. Ao se ver no chão da capela, sentou-se depressa. Estava agitado, sem compreender como tinha parado ali. Raniero e Haskel conversavam tranquilamente, sentados em cadeiras próximas.

– Como se sente? – quis saber Raniero.

– Me sinto muito bem, obrigado – respondeu o brasileiro, sem jeito. – Parece que dormi doze horas seguidas.

Na dúvida, José checou o relógio da capela. Apenas meia hora tinha se passado desde que iniciara a sessão com o polonês.

– Nossa oração foi bastante eficiente – afirmou Haskel. – Você experimentou o que se chama de repouso no Espírito Santo ou, simplesmente, repouso no Espírito.

– O que é isso?

– Trata-se de uma espécie de arrebatamento. Um êxtase causado pela efusão do Santo Espírito. A finalidade dessa experiência mística é a cura e libertação da alma, dos maus pensamentos e das emoções.

No fim do dia, num estado de paz como há muito tempo não experimentava, José deitou-se na cama. Outros dias com Haskel viriam. Esperaria por eles com alegria.

Na manhã seguinte, o brasileiro acordou renovado, antes de o despertador tocar na mesa de cabeceira. Faltavam ainda vinte minutos para o horário marcado. Tomou banho para se preparar para as orações em grupo. Pela tarde, após o almoço, teria uma sessão com Seiji.

Quando chegou à capela, José viu o sacerdote japonês em pé, voltado para o Santíssimo. Ele se virou para encará-lo com seu semblante calmo.

– Seja bem-vindo.

– Obrigado.

– Soube que sua direção espiritual com Haskel foi um sucesso.

– Verdade. Foi um momento muito especial.

– Espero que tenha o mesmo proveito hoje.

– Acredito que todos vocês têm conhecimentos importantes capazes de me ajudar.

– Veremos. Fique aqui ao meu lado. Vamos começar.

– Antes, se não se importar, gostaria de saber um pouco de sua trajetória – interrompeu José. – Como se tornou padre?

– Na juventude, eu era advogado e sensei do estilo shotokan de caratê na minha cidade natal, Kyoto. Não era um homem religioso, mas gostava de participar de seminários de meditação em um local muito famoso no Japão: o templo Kiyomizu-dera, que significa "templo da água pura". Um belíssimo local, fundado no ano de 798, que permanece intacto até hoje.

– Então, se você era frequentador do templo, sua religião era o budismo?

– O budismo não é propriamente uma religião. Boa parte dos ocidentais pensa assim, mas nós, orientais, entendemos de outra forma.

– Não compreendi.

– O budismo nada mais é que a prática do *dharma*. – Observando a dúvida no semblante do brasileiro, o sacerdote acrescentou: – O budismo é uma filosofia de vida.

– Entendi: você gostava de meditar, mas não era budista. Mas como veio parar aqui?

– Levava uma vida muito atribulada. Era advogado em um grande escritório em minha terra. Um psiquiatra, amigo meu, me indicou a meditação como remédio contra a ansiedade. Nela, encontrei paz. Após um ano praticando o silêncio todos os dias, parei de tomar qualquer medicação para combater a ansiedade e a insônia. Os sintomas desapareceram por completo.

José não imaginara que o sacerdote oriental tinha sido advogado. Muito menos que padecia de ansiedade, pois aparentava ser a pessoa mais tranquila do mundo. Seiji retomou a história de sua conversão:

– Certo dia, me inscrevi em um retiro inteiramente voltado para a prática do silêncio no templo que eu costumava frequentar. Seria ministrado por um dos maiores mestres do zen japonês. No último dia, um domingo do início de abril, após o almoço, decidi caminhar um pouco. Passara a manhã toda sentado nos exercícios de meditação. Necessitava de movimento. Resolvi tomar o rumo de uma pequena estrada, que descia por trás do templo. Era muito bonita, enfeitada por belas cerejeiras japonesas, as *sakura*. Para meu deleite, elas já floresciam. O sol lançava belos raios entre as pétalas das flores brancas das árvores, mas, em uma delas, uma luminosidade estranha me chamou a atenção. No alto, a luz mudava constantemente de cor. Aquilo não parecia normal e decidi chegar perto para verificar o que estava ocorrendo. Ao dar os primeiros passos, ouvi uma bela voz feminina: "Seiji, meu filho precisa de seus serviços no Ocidente." Eu me virei, procurando a dona da voz. Era uma mulher de branco, muito bonita, que pairava descalça sobre as flores brancas.

– Meu Deus! Você viu a Virgem Maria – constatou José, com os olhos arregalados.

– Aquela visão me fez perder o ar. Antes que eu pudesse dizer alguma coisa, ela me pediu que ingressasse em um seminário católico e me ordenasse sacerdote. Eu assenti. Por fim, antes de partir, ela avisou que iria me enviar a uma terra estrangeira.

– E aqui está você – concluiu José, sorridente. – Os outros padres sabem de sua visão?

– Claro. Não temos segredos aqui.

– Ninguém se espantou?

– Não. Todos sabemos que a Mãe de Jesus tem os sacerdotes como seus filhos prediletos e que fica sempre ao nosso lado.

Diante da resposta, José decidiu não fazer mais perguntas. Seria inútil. Além do mais, a importante informação já estava dada. Aquele homem era especial.

– Vamos começar? – perguntou Seiji.

O brasileiro se posicionou ao lado do oriental, como ele havia sugerido de início. Indicando o sacrário, Seiji questionou:

– Você consegue perceber a luz que vem do Senhor?

José preferiu dar uma resposta teológica a expressar alguma opinião pessoal:

– Somos sacerdotes. Para nós, o sacrário ilumina o mundo.

Não sabia exatamente o que pretendia o japonês.

– O que queria lhe perguntar, e peço desculpas por não ter sido mais claro, é o seguinte: você vê ou sente essa luz? Aqui e agora, no nosso mundo material, ela é perceptível a algum de seus sentidos humanos?

– Infelizmente não vejo nem sinto nada. Sei, na minha inteligência, que Nosso Senhor está presente aí. – José apontou para o sacrário. – E acredito, no meu coração, que esteja mesmo. Mas senti-Lo? Nada...

– Não se preocupe. Enquanto o esperava, pensava sobre o fato de muitos padres não sentirem a presença de Jesus no corpo, no espírito, na mente ou no coração. Isso acontece até mesmo durante as missas que celebram.

– O que posso fazer para mudar?

– Começaremos pela sua respiração. Ela é curta, descompassada e incompleta.

A observação desconcertou José. Em toda a sua vida, ninguém havia lhe apontado essa deficiência.

– Para bem aproveitar os exercícios espirituais, é fundamental modificá-la. Não precisa ser uma respiração perfeita, mas se quiser acessar suas faculdades espirituais com profundidade, precisa melhorar consideravelmente esse quesito. Você dá a impressão de que está fugindo de algo perigoso. Mas aqui é a casa de São Miguel Arcanjo. Ninguém lhe fará mal. As perseguições não o seguiram até o monte Gargano!

Seiji fez uma pausa, então prosseguiu:

– Corrija sua postura, por favor. Você se inclina muito para a frente. Seus ombros não estão alinhados e, assim como seu pescoço e plexo solar, pendem para baixo. Sua cabeça também se inclina na mesma direção. Não enxergo em você nenhuma respiração diafragmática. Parece que seu peito sobe e desce descompassado.

– Como falei, nunca prestei muita atenção nessas coisas.

– A forma como você se ergue, para, caminha e respira favorece o estado depressivo e a ansiedade. Se você quer mudar sua vida, comece pela postura.

– Sério?!

– Você está todo voltado para o chão, com uma respiração assustada e desregulada. Dá para perceber o sentimento de derrota, tristeza e desânimo com que se movimenta. Abra o peito, olhe para a frente, coloque os ombros no lugar. Lembre-se que você é um dos discípulos de Jesus!

À medida que falava, Seiji demonstrava com seu corpo o que esperava ver. José imitou o japonês, que comentou:

– Agora sim. Sua postura está bem melhor.

Aliviado, José sorriu.

– Observe minha respiração. Ela se inicia no diafragma, preenche meu abdômen e segue para o peito. Enchendo aos poucos, de baixo para cima, sem interrupções. Prendo um pouco o ar quando meus pulmões estão cheios e, com calma, vou soltando tudo pelas narinas. Note que esvazio não só o peito, mas a barriga também. Consegue ver?

– Sim. Espere um pouco, vou tentar.

O esforço de José ficou evidente. Definitivamente, aquilo não era algo natural para ele, mas pegou o jeito. O japonês, pela primeira vez na tarde, deu um sorriso e assentiu em aprovação.

– Observe como seu corpo se comporta enquanto respira livremente. Note o peito descendo e subindo. O ar entrando pelas narinas e percorrendo o caminho até os pulmões. Não julgue sua qualidade. Apenas observe como o faz, mantendo a postura impecável.

José obedeceu. O tempo passava devagar e Seiji não fazia mais comentários. Por fim, depois de alguns minutos de silêncio, o brasileiro não resistiu e perguntou:

– Afinal de contas, estou fazendo corretamente o exercício?

– Agora não. Era para ficar em silêncio, observando como seu corpo está.

José deu uma gargalhada. Seiji explicou com um sorriso:

– Eu já ia interrompê-lo. É preciso ter muita paciência para se aproximar cada vez mais de Deus. Ele não favorece os afoitos!

Como está escrito em Provérbios 16, 32: "Paciência vale mais que valentia, e dominar a si mesmo vale mais que conquistar uma cidade."

– Sem dúvida.

– Vamos adiante. Agora que sua respiração se estabilizou e você está em paz, conte mentalmente quantas batidas seu coração dá enquanto você enche o peito de ar. Não queira controlar nada. Apenas observe e conte, está bem?

José obedeceu e, ao final, disse:

– Foram seis batidas. Deveria ser assim? O tempo está correto?

– Não há certo ou errado. O que gostaria é que você verificasse se sua respiração se mantém estável nessas seis batidas.

– O ciclo inteiro? Quero dizer: inspirar e expirar dentro de seis batidas do coração apenas? Seria algo muito rápido...

– Não. Só a primeira metade do ciclo. Gostaria que você verificasse se seu corpo está à vontade.

– No início não estava. Agora parece bem melhor.

– Ótimo. Você percebe algum padrão na sua respiração?

– Não entendi.

– Por exemplo: são seis batimentos para encher os pulmões e outros seis para esvaziá-los?

– Sim. Minha respiração já está compassada. Algo em torno de seis por seis, como disse.

José sentiu-se mais calmo e relaxado. Pela expressão satisfeita do outro padre, havia conseguido o resultado desejado.

– O objetivo da respiração ritmada é relaxar o corpo e favorecer a concentração da mente. Em pé, você conseguiu realizar o necessário. Vamos ver como respira sentado.

José se encaminhou para uma das cadeiras da capela, mas foi interrompido pela mão do japonês em seu ombro.

– Não será em uma cadeira tradicional. O ideal é que fique fora da sua zona de conforto. Precisamos de você alerta. Por isso, vai experimentar o modo oriental.

– Oriental? – José não compreendeu se o amigo estava brincando ou falando sério.

– Exatamente.

Com sua animação contida, Seiji mostrou um pequeno paralelepípedo de esponja, compacto e duro, de cor azul.

– Este objeto aqui vai ajudá-lo.

– Desculpe minha ignorância, mas o que é isso? Como uma coisa assim vai me ajudar a rezar melhor?

– Calma. Ainda não chegamos à oração. Um passo por vez. Isto aqui é um tijolo de fisioterapia!

– Só falta me dizer que é fisioterapeuta – disse José em tom de brincadeira, mas acrescentou: – Antes que venha me propor algo complicado, vou logo dizendo que não tenho nenhuma força nem flexibilidade.

– Força e flexibilidade?

Pela primeira vez, Seiji caiu na gargalhada. José, sem graça, assentiu.

– Não vai propor uma sessão de fisioterapia japonesa?

Seiji respondeu com bom humor:

– Claro que não! Eu era advogado, não fisioterapeuta. Existem diversos tipos de exercícios que favorecem a concentração. Obviamente, como sacerdote, não adoto nada que desrespeite os preceitos de minha religião ou fuja da razoabilidade. Não precisa se preocupar nem ter medo. O que vamos fazer é sedimentar uma base para que nossa mente e nosso coração fiquem em silêncio. Com isso abriremos espaço para o Espírito Santo de Deus nos falar.

– E o tijolo de borracha azul, onde entra nisso tudo?

– Serve para você sentar em cima.

Seiji tomou educadamente o objeto das mãos de José e o colocou no chão para demonstrar como se fazia.

– Ele ficará aqui e você sentará em cima, com a coluna o mais reta possível, o topo da cabeça em direção ao céu e as pernas cruzadas.

– Não podemos fazer de outra forma? Sou totalmente sedentário, essa postura será muito incômoda. Nem sei se consigo me colocar nela. Que dirá permanecer! Saber se estou saindo da posição correta vai ser uma grande preocupação. Isso vai acabar ocupando meus pensamentos e não vou conseguir prestar atenção em mais nada!

– Ótimo. Esse é o resultado que procuro. Nossas sessões aqui serão para tirar sua atenção do mundo que o rodeia e focar no interior, onde Deus habita. Seu cérebro oscila demais entre suas dores, pensamentos de derrota, lamúria pela injustiça que sofreu e medo de perder tudo o que conquistou na carreira. Com o exercício sobre o tijolo, a mente vai abandonar todas essas preocupações e focar no tempo presente.

O brasileiro se perguntou como aquele homem podia ler tão bem seus pensamentos e sentimentos.

– Desculpe, mas em que isso pode melhorar minha comunicação com Deus?

– Um homem que ocupa a mente o tempo todo com problemas e fracassos tem pouco espaço para planejar o sucesso e escutar Deus. Ancora a vida na derrota. Vejo que, para você, fixar a atenção no Criador, por um breve instante que seja, deve ser bem difícil. Errei?

José, aceitando o óbvio, suspirou.

– Infelizmente, acertou em cheio.

– Minha intenção é dar a você uma ferramenta para limpar sua mente de todo lixo e distração que o mundo oferece. Fazer com que ela seja livre para o Pai Celestial. Vou lhe dar um método para combater a rotina estressante. Algo que possa usar durante o momento do dia que escolher, para que contemple e sinta as coisas do Reino de Deus.

– Seria uma bênção se eu conseguisse fazer isso. Grande parte do meu sofrimento se dissiparia.

– Então lhe peço confiança e um pouco de crédito para o que proponho.

José suspirou e concordou. Seiji continuou:

– A concentração, que trabalharemos agora, funcionará como uma escada. Com base nela, você vai conseguir o distanciamento necessário de seus pensamentos corriqueiros, permitindo que se faça o silêncio em seu interior. Verá que o Espírito Santo vai ocupar os espaços e reinar em sua mente. O resultado será a cura de sua mente e de seu coração.

– Parece uma boa proposta, meu amigo.

– Muito bem. Vamos nos sentar no chão.

Seiji foi ao chão com destreza. Seguindo o amigo, José apoiou-se nas mãos e nos joelhos, soltou o ar com força e, com certo esforço, sentou-se no tijolo. Durante cinco minutos, praticaram o exercício da respiração.

Após alguns minutos de prática, José quis saber:

– Estou fazendo corretamente?

– Sim. Levante-se um pouco. Vamos andar pelo corredor e voltar.

Os dois homens caminharam juntos em silêncio e retornaram à capela.

– Agora, vamos adiante.

O japonês ficou de pé e posicionou uma bela cruz de madeira, que media uns 50 centímetros de altura, na mesa do altar.

– Vamos repetir o exercício: respiração e contagem dos batimentos cardíacos. Ao final dos dez minutos, abriremos os olhos e os fixaremos na santa cruz.

– Devo apenas olhá-la ou também pensar em algo?

– Com a repetição dos exercícios, traremos nossa atenção para o interior. Os pensamentos que nos distraem serão, assim, postos para fora. Uma vez limpa a mente, vamos adorar Nosso Senhor na santa cruz. Entendeu?

– Sim. Fixaremos nossa concentração apenas na cruz. É uma estratégia bastante inteligente.

– É na adoração que Deus encontra ambiente para se mostrar pouco a pouco. Tenho certeza de que, com mais prática, você será capaz de senti-Lo, vê-Lo e ouvi-Lo. Está pronto para experimentar?

– Claro. Será uma alegria!

Ao término da prática, José sentiu-se revigorado. Espantou-se, pois, apesar de todo o esforço, estava bem-disposto, como havia muito não acontecia. Se não tivesse experimentado pessoalmente, nunca teria acreditado que algo daquele tipo pudesse lhe trazer qualquer benefício.

Logo que José sentou-se à mesa do jantar, Raniero notou que seu humor havia mudado. Observando que seu semblante estava mais sereno, os demais padres quiseram saber como havia sido a sessão com Seiji. Após elogiar o sacerdote japonês, José narrou sua experiência. Curiosamente, não se levantaram vozes de reprovação. Parecia que todos já sabiam o que iria se passar com ele.

Na manhã seguinte, José se encontrou na capela dos padres com John.

– Estou empolgado com a possibilidade de participar de uma tarde de oração com o ex-CEO de uma grande empresa americana – falou José.

– Tomara que não se decepcione. Não sou tão bom quanto meus irmãos de ordem. Não tenho o nível de espiritualidade desses homens. Eles são místicos. Eu sou um homem prático, que cuida das coisas materiais da nossa comunidade.

– Não creio. Percebi as enormes filas que se formam nos seus dias de aconselhamento. Pelo que pude observar até hoje, vem gente de toda Itália para se confessar ou pedir sua opinião sobre os mais diversos assuntos. Em sua maioria, homens. Algo raro nas igrejas. Como um homem rico larga tudo para servir a Deus?

– Nasci em Charlotte, na Carolina do Norte, nos Estados Unidos. Me formei em economia na Universidade Columbia, em Nova York. Assim que me graduei, fui contratado por uma firma importante em Wall Street.

– Então você realmente ganhou muito dinheiro! – exclamou José.

– Sim, irmão. Fiz fortuna por alguns anos, mas não era feliz. Bebia e fumava muito. Não tinha disciplina para nada e jogava dinheiro fora com uma série de bobagens. A única coisa que tinha de bom, penso hoje, era minha capacidade de realizar planejamentos financeiros e investimentos.

– Ouvi Raniero dizer que todas as economias desta comunidade estão nas suas mãos e que, diante dos bons resultados que alcançou, o Santuário de São Miguel hoje é o maior doador da mitra regional.

– Raniero é muito inteligente. Ele sabe designar as tarefas a cada padre segundo seu talento. Graças a Deus, pude fazer aqui o que já fazia em Wall Street. A diferença é que o lucro é todo da Igreja. Como os demais miguelinos, fiz voto de pobreza. Tudo o que temos é coletivo.

– Sim. Mas como um homem tão importante deixa a família e a carreira no auge para virar padre?

– Certa vez, fiz um investimento de alto risco. Ganhei, em um dia, milhões para a firma e para mim. Para comemorar, a equipe foi toda para um bar em Manhattan. Por volta das três da madrugada, devido aos excessos que cometi, desmaiei e fui levado às pressas a um hospital, onde sofri uma cirurgia. Ao fim do procedimento, entrei em coma.

– Entrou em coma?

– Sim. Naquela noite, no bar, tive uma parada cardíaca, que foi revertida, por um milagre, no hospital que ficava próximo ao bar. Os médicos precisaram operar meu coração. Só fui acordar três dias depois.

– Quando saiu do coma, não havia ninguém lá com você? E sua família?

– Eu era uma pessoa muito difícil. Tinha rompido relações com meus familiares anos antes, quando comecei a ganhar muito dinheiro no mercado financeiro. Além disso, eles não souberam o que aconteceu comigo, já que ninguém do meio que eu frequentava os conhecia. Dias depois, ainda internado, liguei para minha mãe e disse tudo o que tinha ocorrido. Mas, para responder a sua pergunta inicial, decidi mudar de vida após uma experiência muito estranha durante a cirurgia.

– O que aconteceu?

– Em determinado momento, enquanto a equipe médica tentava salvar minha vida, me vi ao lado de meu corpo, dentro do centro cirúrgico. Podia enxergar detalhes de tudo o que se passava, era incrível! Não sei por quanto tempo permaneci ali. Naquele exato momento, me dei conta de que, verdadeiramente, somos dotados de um corpo espiritual. Tive a certeza da vida eterna.

– Quanta bondade de Deus! Permitiu que você enfrentasse a morte para ter uma experiência mística transformadora.

– Verdade. No fundo da sala, havia uma criatura muito alta e forte, com um traje que se assemelhava ao dos romanos antigos. Por cima das vestes, exibia uma armadura de cobre que parecia ter luz própria. Seus cabelos davam a impressão de ser pura luz vermelha e seu olhar era severo. Tive medo, mas não me movi. Quando aquele ser percebeu que eu o estava encarando, me disse: "Preciso de um soldado com seus talentos em meu santuário. Já está tudo preparado para sua mudança." Uma forte luz branca se fez no centro cirúrgico e tudo desapareceu. Não me lembro de mais nada. Acordei dias depois na cama do hospital.

– Você se tornou sacerdote por meio de um chamado do próprio arcanjo Miguel! – exclamou José.

– Sim, foi pelas mãos de São Miguel que fiz as pazes com minha família e encontrei a felicidade.

– Que história bonita!

– Agora vamos mudar de assunto. Enquanto estava esperando por você, pedi que o Criador falasse comigo. Segurei a Bíblia, respirei fundo e a abri de modo aleatório. Me deparei com uma passagem muito interessante.

– Qual passagem?

– Primeiro Livro de Samuel 4, 1-11. Na minha opinião, esse trecho se aplica a todos nós. Trata-se de um importante aviso.

– Por quê?

– Esse livro bíblico narra que Israel estava em guerra com os filisteus. As duas nações se enfrentaram na localidade de Afec. O resultado foi a derrota de Israel, que amargou a perda de quatro mil soldados.

– Conheço a história, mas não estamos em guerra...

Ignorando o comentário do brasileiro, John prosseguiu:

– Então sabe que a situação dos israelitas piorou.

– Eu diria que foi ladeira abaixo! Os anciãos de Israel questionaram por que Javé havia permitido tamanha derrota. Tiveram a ideia de trazer para o campo de combate sua maior relíquia religiosa: a arca da aliança. Acreditavam que, com a presença de Deus nas linhas de combate, os inimigos pereceriam.

– Isso mesmo. O que aconteceu, no entanto, foi pior ainda: Israel novamente foi derrotado. Dessa vez, com trinta mil soldados mortos e, de quebra, perderam para os filisteus a arca da aliança. Um desastre!

– Aonde quer chegar? – perguntou José.

– Os israelitas não se prepararam adequadamente para o combate. Não aprenderam com o fracasso. Com a primeira derrota, em vez de mapear suas fraquezas e tentar trabalhar para melhorar a performance, resolveram transferir toda a responsabilidade para Deus. Acreditavam que, como povo escolhido, teriam a regalia de deixar a guerra nas mãos divinas, para que o Criador exterminasse os inimigos.

– Eu não teria a mesma atitude dos israelitas com relação aos conflitos de minha vida. Sei que Deus abomina os preguiçosos e não favorece os que ficam inertes.

– Exatamente o que penso. Na hora em que li esse texto, me dei conta de que Deus me colocou aqui, nesta comunidade, por uma razão. Acreditou em meu talento para desenvolver uma atividade financeira em bom nível, para fazer crescer sua obra religiosa em nossa região. Se eu tivesse repassado a missão para o próprio Senhor, cruzando os braços, será que estaríamos na mesma situação? Entendi que eu precisava me tornar um administrador melhor do que já era.

– Compreendo. Isso me lembra a parábola dos talentos, contada por Jesus em Mateus 25, 14-30. Cada homem recebeu um valor de seu senhor. Um investiu e dobrou o que recebeu. Outro também teve êxito, apesar de não ganhar tanto quanto o primeiro. Mas o sujeito que enterrou o talento, devolvendo ao patrão a mesma quantia que recebera, ganhou uma reprimenda séria. – José já havia comentado aquela passagem do Novo Testamento inúmeras vezes em suas homilias.

– Quando o patrão retornou e pediu para prestarem contas, elogiou muito os servos que haviam lhe trazido lucro – completou John. – Sua coragem, iniciativa, inteligência e habilidade em negociar deram bons frutos. Em minha vida profissional, graças a Deus, conheci muita gente assim. Por isso minha empresa chegou ao topo.

– Mas a coisa ficou feia para o servo que escondera o único talento recebido. O patrão disse que, no mínimo, ele deveria ter posto o dinheiro no banco, para que recebesse ao menos os juros.

– A covardia do homem, aliada à sua incompetência, despertou a ira do senhor. No fim da passagem, o patrão faz uma afirmação interessante: aos que lhe trouxeram lucro, será dado em abundância, mas aquele que apenas lhe devolvera o talento seria jogado nas trevas, onde há choro e ranger de dentes! Na empresa em que eu era CEO, tratava os funcionários com base nessa mesma lógica. Os que traziam grandes lucros ganhavam bônus maiores. Os que não eram tão bem-sucedidos recebiam menos.

– Parece que, mesmo antes de sua conversão, você já usava critérios bíblicos para tratar o pessoal de sua empresa.

Os dois deram boas risadas.

– Já entendi seu ponto – disse José. – Você afina seus talentos todas as manhãs porque sabe que Deus conta com sua expertise como administrador, para que a obra de São Miguel siga firme em frente.

– Perfeito. E tem outra coisa: espero que Ele, o Todo-Poderoso, feliz com minha atuação à frente das finanças, derrame sua graça em dobro sobre nossa comunidade. Posso lhe garantir que Deus é fiel à sua palavra. Basta olhar para nós.

– Verdade. Não há a menor dúvida quanto a isso.

– Enfim, sou responsável pelo bem-estar financeiro dos meus irmãos. Tenho que estar sempre atualizado. Penso que nunca deixei de ser o administrador de fundos financeiros que era antes de minha conversão, em Wall Street. A diferença para o que faço hoje é a forma com que uso o que adquiro e os objetivos que tenho ao exercer a função de ecônomo do santuário.

– O único problema talvez seja enfrentar o preconceito e a desconfiança de pessoas que pensam que o correto é viver na pobreza. Eu, enquanto era pároco lá no Rio de Janeiro, passava por isso todas as vezes que tentava reformar a igreja.

– Infelizmente, isso ocorre bastante por aqui também. Quando troquei os bancos velhos da nossa igreja por novos, recebi uma enxurrada de críticas das senhoras que fazem parte da Congregação de São Miguel.

– Mas essa melhoria beneficiava todo o povo!

– Sim. Elas disseram que eu não chegaria ao Reino dos Céus por não cumprir o evangelho, o que está escrito em Mateus 19, 24!

– "É mais fácil um camelo entrar pelo buraco de uma agulha do que um rico entrar no Reino de Deus" – completou José, divertindo-se.

– Tentei explicar que elas deveriam interpretar a Bíblia de forma sistemática, como um todo, para que não ficassem perdidas diante de passagens potencialmente contraditórias. Não deveriam ficar isolando versículos ao próprio gosto. Por isso, o significado daquela palavra não era a condenação de todo e qualquer homem rico. Do contrário, Jesus não seria amigo de José de Arimateia! Na questão do dinheiro, a meu ver, existem dois problemas principais: como uma pessoa ganha sua fortuna e como ela se utiliza de sua riqueza. Acumular dinheiro de forma desonesta ofende demais a Deus. Usar seu dinheiro de forma egoísta, sem produzir algo de bom para o mundo, tampouco agrada ao Senhor. Enfim, não podemos ter amor ou apego ao dinheiro a ponto de nos submetermos a tudo e a todos só para obtê-lo. Não podemos ser escravos do dinheiro, mas seus senhores.

– Elas entenderam o que você quis dizer?

– Não. Citaram a Primeira Carta a Timóteo 6, 10, "a raiz de todos os males é o amor ao dinheiro", e também Lucas 16,13: "não podem servir a Deus e ao dinheiro."

– O que você fez?

– Devolvi para elas as seguintes passagens: "aquele que ama o dinheiro nunca se fartará, e aquele que ama a riqueza não tira dela proveito. Também isso é vaidade", de Eclesiastes 5, 9... e "bem-aventurado o rico que foi achado sem mácula, que não correu atrás do ouro, que não colocou sua esperança no dinheiro e nos tesouros", de Eclesiástico 31, 8. Elas continuaram sem entender e se retiraram bravas comigo.

Os dois riram mais um pouco. Assim que ficaram em silêncio, John retomou a conversa:

– Está pronto para o início de minha preleção?

– Não começamos ainda? Já aprendi bastante.

– Não. Preparei para você algumas aulas sobre organização.

– Organização?

– Sim. Do pensamento e da vida. Quer desistir? Talvez meus irmãos de ordem tenham algo mais interessante a oferecer.

– De jeito nenhum. Quero que comece imediatamente.

O sacerdote miguelino abriu um largo sorriso e se dirigiu ao lado direito da capela, onde havia uma lousa própria para pilot. José apontou para a tela, incrédulo.

– Você trouxe isso para cá?

O americano sorriu.

– Você, como professor, não faria o mesmo?

José assentiu. John se sentiu encorajado.

– Então vamos começar. Acredito que nosso destino é composto por nossas escolhas e pelas mãos de Deus.

– Poderia ser mais claro?

– Estou falando do caminho que trilhamos aqui na Terra. Por que passamos por alegrias e tristezas? Quem determina isso? Na minha opinião, 40% das provações que temos são providenciadas por Deus. Ele as permite para nos ensinar algo. Sem elas, não seremos dignos do Paraíso no dia da morte. O restante decorre de nossas decisões e atos.

Ao ouvir a explicação, José permaneceu mudo. Seria mais uma tarde interessante. John prosseguiu:

– Daí por diante, a situação fica complexa. Aquilo que decidimos fazer, com nosso livre-arbítrio, tem uma série de consequências. Nosso destino, assim, se torna algo complexo. Como está escrito no Segundo Livro de Samuel 3, 39: "Que o Senhor retribua àqueles que fizeram o mal segundo os seus próprios atos!"

Os dois riram.

– Melhor fazermos como Neemias 13,14: "Lembra-te de mim, ó meu Deus! Não deixes apagar da tua lembrança as boas ações que realizei pelo Templo de Deus e pelo seu culto" – complementou José.
– Já que somos sacerdotes, creio que esta oração nos cai bem. Afinal de contas, segundo Jó 34, 11: "Deus paga ao homem conforme as suas obras e retribui a cada um conforme a sua conduta."

– Sem dúvida. Temos que conquistar nosso lugar no céu com base em nossos atos. Usar nossa liberdade para fazer o bem aos outros. Muita gente fica apenas nas palavras e nas intenções. Vide São Paulo, na Primeira Carta aos Coríntios 4, 20: "Porque o Reino de Deus não consiste em palavras, mas em atos." Note como a Bíblia é sábia.

– É o próprio Senhor quem nos diz que nossa salvação vem dos atos que praticamos. Mas como decidir, em cada caso, de que forma agir? – Antes que John pudesse dar uma resposta, José acrescentou:
– Penso que um bom parâmetro para elegermos os atos que vamos praticar é a Palavra de Deus.

– Exatamente. Aliás, afirmamos isso quando rezamos o Salmo 118, 59: "Considero os meus atos, e regulo meus passos conforme as vossas ordens." Decidimos como atuar de acordo com a nossa crença na Palavra de Deus.

John respirou fundo e se dirigiu para a lousa.

– A minha conclusão é que somos responsáveis por uma estada feliz aqui na Terra. Não podemos atribuir nosso sucesso ou fracasso a causas externas. As coisas basicamente dependem de nós, de nossa atitude diante dos desafios que encontramos durante a vida.

– Mesmo quando a vida nos derruba feio? Quero dizer, não é humano ficarmos abatidos quando as coisas não saem como esperamos? – questionou José.

– São Tiago nos recomenda em sua carta, no capítulo 1, versículos 2 e 3: "Meus irmãos, fiquem muito alegres por terem que passar por todo tipo de provações, pois vocês sabem que aprendem a perseverar quando sua fé é posta à prova." Disso extraio que devemos enfrentar tudo o que está à nossa frente com serenidade e alegria. Raciocinando para decidir como atuar. Cabeça fria! Se passarmos pelas provas que Deus nos coloca, ainda que sejam muito duras, seremos mais felizes e mais fortes.

– Não sei. Às vezes penso que somos prisioneiros das situações mais graves.

A conversa fez com que José voltasse sua mente outra vez para o problema que o havia tirado do Rio de Janeiro.

– Tenho outra opinião. Você obviamente concorda que Deus nos deu livre-arbítrio. Somos seres dotados de liberdade.

– Concordo.

– Mas a liberdade não anda sozinha. Está sempre acompanhada pela responsabilidade. Afinal, aquele que é livre para agir responde pelos atos praticados.

– Sem dúvida.

– Podemos, assim, controlar algumas coisas em nossa vida – concluiu John.

– Sinceramente, discordo. Considere o que me aconteceu. Eu estava caminhando por uma rua, tranquilo, indo para casa, quando vi um policial apontar a arma para o rosto de um garoto. Como controlar uma situação dessas? Foi apenas o destino, não escolhi aquilo, foi Deus quem escolheu! – José deixou transparecer a revolta em sua voz.

– Ah! Penso que você, naquele dia, fez sua escolha. Agiu como queria. Estou enganado?

– Está. Não gostei de me ver numa situação daquelas contra minha vontade. Não fiz escolha nenhuma.

– Fez sua escolha, sim. Pare e pense. Digo mais: ela foi fundamental para salvar uma vida.

– Fiquei numa situação em que agi por instinto. Não deu tempo nem de raciocinar o que poderia acontecer comigo.

– Não é verdade. Poderia ter dado as costas e continuado seu caminho.

– Não poderia. Sou sacerdote! Tinha a obrigação de salvar aquela vida.

– Então, tudo se deu exatamente como eu lhe disse: você escolheu fazer o bem com sua ação. O problema é a responsabilidade. No seu caso, a consequência do seu ato foi enorme.

O americano reparou no olhar bravo de José, mas decidiu prosseguir:

– Respondemos pelo que fazemos diante de Deus e dos homens. Aliás, você só permite que sua cabeça se concentre no resultado humano da sua conduta. Deus deve ter ficado muito satisfeito com sua ação e vai lhe conceder honrarias por ter salvado aquele rapaz. José, você agiu baseado nos seus valores morais. Buscava justiça, mas sabemos que os homens não são aclamados por essa virtude.

– Muitas vezes somos marionetes nas mãos de Deus e nada do que podemos fazer será suficiente para escaparmos de um teste desagradável. O livre-arbítrio fica revogado.

– Não! Está dizendo isso porque seu coração dói diante do sofrimento atual. Você controlou a situação. Impediu a morte do rapaz. Com sua conduta, assumiu o resultado.

– Talvez. Mas o sofrimento que passei e ainda estou passando não era o que desejava.

– Como, em sua liberdade, agiu em prol do garoto, a responsabilidade pelo ato é sua. Agora está suportando o preço de seu ato. Aceite isso. Abrace seu destino e caminhe em frente, tomando novas decisões com coragem. Você tem liberdade e responsabilidade como todo mundo. Não houve qualquer suspensão ou revogação da lei de Deus.

– Não sei...

José olhou para o chão, na tentativa de que o outro sacerdote mudasse de assunto.

– Há outra nuance aqui: se, para sua felicidade, é imperativo controlar acontecimentos que dependem da atuação de outras pessoas, você será inevitavelmente infeliz.

– Pode ser.

– Uma felicidade que depende de algo que não pode controlar? É receita certa para a insatisfação e para a dor.

O brasileiro estava perdendo a paciência.

– Você sugere que eu mantenha meu foco naquilo que consigo controlar. Mas, com todo o respeito, o que exatamente você acha que podemos controlar de verdade em nossa vida?

– Calma. Estou dizendo que, para sermos felizes, precisamos, além de acreditar em Nosso Senhor Jesus Cristo e servir a Deus, aprender a focar a mente em nossos objetivos, a interpretar positivamente o que nos acontece no dia a dia e, por fim, entender que as soluções que procuramos dependem das nossas decisões e ações.

Os dois homens ficaram em silêncio por alguns segundos.

– Não basta rezar? – provocou José.

– Não. Mesmo porque, na Bíblia, em Lucas 21, 36, está escrito que não basta a oração: "Vigiai, pois, em todo o tempo e orai, a fim de que vos torneis dignos de escapar a todos estes males que hão de acontecer, e de vos apresentar de pé diante do Filho do Homem." Se você quer ser feliz e vencer na vida, vigiai e orai. O "vigiai" engloba uma série de atitudes terrenas. O "orai" capta as práticas espirituais. Nós não somos apenas espírito nem apenas carne. Entende?

O brasileiro permaneceu quieto.

– Sei que está sofrendo muito – falou John. – Mas o primeiro passo para a libertação depende só de você. É preciso dar um basta! Dizer aos quatro ventos que não tolera mais essa dor e, em seguida, agir para modificar tudo aquilo que depende de você.

– Como? Já estou indignado com o que está me acontecendo. Isso não basta?

– Não. Dá para ver nos seus olhos que está abatido. Parece o lutador que levou um golpe certeiro e continua na lona. Precisa reunir todas as forças e levantar! Cadê a vontade de esmagar a situação que o faz sofrer? Onde estão a coragem e a determinação?

– Tem razão. Acho que ainda estou no chão. Preciso mesmo me levantar – admitiu José com a voz triste.

– Para sair do buraco, tem que querer muito. De todo o seu coração, mente e espírito. Do contrário, não haverá modificação na sua vida, por falta de combustível. Lembre-se da passagem do Evangelho em que o rapaz rico queria seguir a Jesus.

– Lucas 18, 18-23.

– Exato. O rapaz veio cheio de boas intenções dizer ao Mestre que queria ser seu discípulo. Mas quando Jesus lhe informou quais eram os requisitos, ele murchou. Achou aquilo tudo muito difícil.

– Da mesma forma que Jesus avisou em outra passagem: "Aquele que põe a mão no arado e olha para trás não é apto para o Reino de Deus."

– Eu, particularmente, acredito que você seja um grande sacerdote. Um excelente homem de Deus. Como professor, então, nem se fala! Sei que pode desenvolver um trabalho magnífico para nosso povo e nossa Igreja. Será que agora, por ter sofrido uma dura derrota, vai tirar as mãos do arado ou vai ficar olhando para trás? Dê um basta em tudo isso!

O brasileiro inspirou fundo.

– Você tem razão. Estou ancorado no passado. Fico cultivando a dor de ter fugido de meu país em busca de paz. É hora de mudar de atitude.

– Pense nos antigos cristãos, como eram corajosos e não se deixavam abater pelas derrotas ou perseguições.

– Verdade. Passaram por problemas inacreditáveis. Muitos foram mártires.

– Mesmo da prisão, São Paulo incentivava suas comunidades a seguirem adiante, com confiança em Deus. Devemos imitar o apóstolo, não acha? É importante para o povo ver o sacerdote liderar pelo exemplo. Se eles percebem que somos fracos, recuam também. Pense nos seus alunos: eles têm tanta confiança nos seus ensinamentos... Olham para você como uma referência para o que querem na vida. Você não pode fraquejar. Ou melhor, até pode, mas precisa se levantar rápido e voltar a ser o José tão confiante de que nos fala Raniero.

Aquelas palavras bateram firme no peito de José. De fato, ele havia se entregado à melancolia e à derrota. Já tinha passado por situações difíceis, mas nada lhe derrubara como a passagem pela prisão e a ameaça de suspensão de seu sacerdócio. Ergueu os olhos e percebeu que John procurava algum texto na Bíblia.

– Antes que leia algo para mim, lembrei-me de um trecho de São Paulo a respeito da profundidade dos ensinamentos que Deus tem para nós. Isso se aplica também aos desafios ou, se preferir, problemas que vamos enfrentando ao longo da vida.

– Qual trecho?

– Primeira Carta aos Coríntios 3, 1-2: "Quanto a mim, irmãos, não pude falar a vocês como a homens maduros na fé, mas apenas a uma gente fraca, como as crianças em Cristo. Dei leite para vocês beberem, não alimento sólido, pois vocês não o podiam suportar."

– Sim. Há problemas que são digeridos facilmente, sem mastigação, como o leite. Outros são mais complicados e duros, como a carne bovina. Deus sabe de que alimento precisamos para progredir em nossa fé. Portanto, não fique triste. Se o Criador permitiu um teste tão duro é porque sua espiritualidade é bastante avançada. Como disse São Paulo, você é um sujeito maduro na fé.

– Não creio que seja tão avançada assim. Se de fato fosse, não estaria no chão até agora.

– Provavelmente você perdeu a hora de se levantar. Mas Deus, na sua imensa bondade, tem um despertador muito barulhento para fazê-lo acordar.

– Um despertador? – José gargalhou.

– Sim. Aliás, não. A informação não é precisa. Você possui quatro despertadores: os miguelinos que o acolheram.

– Então, com tanto barulho em minha alma exigindo que me levante, não me resta outra alternativa.

Os dois trocaram sorrisos. Por algum motivo, José sentia o peito mais leve. Uma fagulha de otimismo passou a brilhar no interior de seu coração. John foi direto ao assunto:

– Minha primeira aula é sobre as necessidades humanas que acabam por moldar nosso destino com base em nossas escolhas.

– Quais seriam essas necessidades? Você se refere a alimentação, descanso e demais necessidades fisiológicas?

– Não! – O americano começou a rir. – Quero falar sobre as necessidades psicológicas. A parte espiritual você conhece melhor do que eu. Mas vejo que sua interpretação do mundo e atitude diante dos desafios precisam mudar. Então vou me encarregar da sua motivação. Algo que, segundo me disseram, sei fazer muito bem.

– Um pouco de motivação vai me cair bem.

– Todos nós temos uma grande necessidade de nos sentirmos seguros. A segurança em nossa casa, família, finanças e trabalho, só para dar alguns exemplos, é fundamental para que tenhamos paz.

– Acredito que seja assim desde o tempo do homem das cavernas.

– Então concordamos. Ótimo! Posso prosseguir sem questões.

– Pode, sim.

– Não podemos, contudo, ficar reféns da certeza, da segurança em tudo o que fazemos.

– Por quê?

– Morreríamos de tédio. Além da segurança em áreas básicas da nossa vida, precisamos de desafios ou novidades. Parece contraditório, mas necessitamos também das incertezas. De coisas que nos surpreendam, que nos lancem em direção ao desconhecido, à aventura.

– Tem razão. Acredito que o melhor seja um equilíbrio entre ambas.

– Pensamos igual – constatou John e ficou satisfeito em ver que o brasileiro compreendia com muita facilidade o que expunha. – No momento em que seu sacerdócio ficou ameaçado, você sentiu que a vida estava incerta demais, não?

– Sem dúvida. Deus exagerou na dose de incerteza a partir da minha prisão, no Rio de Janeiro.

– Por outro lado, recuperou a confiança quando o mandou para cá. Deus lhe deu um perfeito equilíbrio entre segurança e aventura com sua estada no monte Gargano!

– Olha, penso que a incerteza se reduziu a um patamar aceitável no momento em que fui tão bem acolhido por vocês. Mas ainda me incomoda o fato de minha carreira como sacerdote estar fora dos trilhos, sem uma certeza mais forte de progresso. Parece que há um desequilíbrio entre incerteza e segurança que precisa se ajustar para que eu seja feliz.

– Mas existe algo que pode pontuar a favor da sua felicidade aqui, entre nós, miguelinos. Apresento-lhe, então, outra necessidade psicológica: a de sermos relevantes ou importantes na sociedade em que vivemos. Acho que o golpe que você sofreu na reputação atingiu muito essa parte. Aqui, tem campo aberto para recuperá-la e ir além.

– Sim, foi isso mesmo. Sempre fiz questão de desempenhar muito bem minhas funções para que o povo e o clero reconhecessem meu valor. A injustiça que fizeram comigo jogou muita lama em meu nome.

– Não diga isso. Você sabe, por exemplo, que todos continuam a admirá-lo como professor.

– Sim. E como padre? Será que me admiram?

– Por aqui, o povo está afoito em te conhecer. Os outros sacerdotes, das dioceses vizinhas, também.

– Em compensação, na minha terra natal...

– Duvido que o povo de Deus tenha mudado de opinião a seu respeito. Aliás, no próprio clero, aqueles que o querem bem continuarão a admirá-lo. Não pense em seus inimigos, pois eles não mudaram de opinião com sua derrocada. Apenas comemoraram uma pequena vitória. A alegria deles está por acabar.

– Não sei. Fugi de lá tão logo pude sair da prisão, lembra?

– Sua reação se deu com base em outra necessidade: ser amado. Você se sentiu sozinho na cadeia, abandonado por todos. Tomou para si que o amor que diziam sentir por você era falso. Estou enganado?

– Não. Esperava mais do cardeal e dos meus amigos. Ajudei tanta gente, e eles, sem nenhuma explicação melhor, não quiseram me socorrer. Quem me livrou das grades foi um estranho. Isso tudo me magoou demais.

– Mude o foco. O homem que o ajudou foi um sinal de Deus. Para mim, era o bom samaritano da parábola de Jesus. Ele viu o homem espancado, desacordado no chão, sem ninguém para ajudá-lo. Teve compaixão, fez curativos em suas feridas, o colocou em cima de seu próprio animal e o levou a uma pensão para cuidar melhor dele. Sem o conhecer, pagou caro ao dono da pensão e recomendou que tomassem conta dele até que ficasse bom. Avisou que podiam gastar com aquele homem o que fosse, pois, quando voltasse de viagem, passaria pela pensão para acertar a conta! Percebe a semelhança?

– Realmente, não havia pensado nisso... – José abriu um sorriso.

– Deus sempre esteve observando-o de perto, mesmo na cadeia, rapaz. Em sua imensa bondade, mandou-o para cá. Agora, você está no meio de gente que o serve com amor. Que faz questão da sua companhia e presença. Que está ao seu lado para o que der e vier. Isso sem contar o povo daqui. Quando você rezar a primeira missa para eles, no domingo, vai conquistá-los de imediato. Prepare-se para formar uma grande família na montanha de São Miguel Arcanjo.

– Acredito no que me diz. Apesar de estar me sentindo bem melhor, por causa da acolhida de vocês e de tudo o que têm me ensinado, fico triste em ver que não estou mais contribuindo para a sociedade.

Também me chateia o fato de minha carreira sacerdotal permanecer estagnada.

– Você se antecipou à minha fala. Citou as últimas necessidades humanas: do crescimento pessoal e contribuição ao mundo.

– Você não tem ideia de como me corrói por dentro saber que, há algum tempo, não tenho mais acrescentado nada à vida das pessoas, que sou um inútil, que não tenho mais a capacidade de contribuir. Parei de crescer.

– Aí você se engana. Você está passando por um momento de autoconhecimento. Vai ressurgir mais forte. Isso é crescimento. A partir dele, vai voltar a contribuir com mais força para a sociedade. Espere até rezar a primeira missa de domingo nesta montanha. Confie no que estou dizendo, José, muita coisa boa vai acontecer.

– Não tenho escolha. Só me resta confiar em Deus e em vocês quatro, os miguelinos.

CAPÍTULO VI

Anjos

Ainda chocado com a notícia sobre a saga enfrentada por Gabriela, Rafael disse a frei Antônio:

– Acho que o seu anjo se enganou. Parece que minha mulher tem poucos instantes de vida pela frente. Pelo menos você está aqui para fazer uma última oração por ela e nos confortar.

– Não diga isso. Como lhe falei: o mundo espiritual tem outros planos. Os homens não conseguem ver muito à frente, mas os anjos têm acesso a informações que nós, aqui embaixo, não temos. Pode ficar tranquilo, eles sabem fazer o trabalho com muita segurança.

– Se fosse assim como diz, seu anjo da guarda não teria se enganado – insistiu Rafael.

O frade, inabalável, disse:

– Ele não se engana porque é mensageiro do Altíssimo. Se Deus quer que ela viva, os médicos encarregados da cirurgia de Gabriela nos darão boas notícias em breve.

– Então quem se equivocou interpretando a mensagem do anjo, com todo o respeito, foi você – retrucou Rafael com teimosia.

Sem tirar o sorriso dos lábios, o sacerdote decidiu não responder. Indicando a cadeira vazia ao seu lado, convidou:

– Sente-se aqui ao meu lado. Vamos conversar um pouco sobre as coisas espirituais. Penso que lhe fará bem.

– Não tenho cabeça para isso. Minha esposa está à beira da morte.

– A ideia de frei Antônio é excelente. Vamos lá! – incentivou Irene.

– Compreendo seus sentimentos, mas, já que não temos nenhum compromisso agora e precisamos esperar a resposta dos médicos, reitero meu convite – insistiu Antônio, batendo com a palma da mão na cadeira a seu lado. – Confie em Jesus e no que estou lhe dizendo: os médicos vão sair em poucos instantes para nos dar boas notícias.

Tão logo terminou a frase, um barulho de portas se abrindo interrompeu a conversa. Os três se levantaram prontamente. Um jovem médico, que Rafael ainda não tinha visto por ali, perguntou quem era o marido de Gabriela. Após identificá-lo, o homem disse que a parada cardíaca da esposa havia sido revertida e que iriam prosseguir na extração do tumor cerebral. Da mesma forma esbaforida com que chegou, ele se foi.

– Que alívio! – exclamou Rafael em voz baixa. – Devo-lhe desculpas, frei. Seu anjo é realmente poderoso. Quando estiver com ele, diga-lhe que terei mais fé. Fui indelicado... – Rafael não sabia se ria ou chorava.

– Viu só, Rafael? As coisas de Deus são imprevisíveis – disse Irene, com o alívio estampado no rosto. – Por pior que pareça a situação, não devemos nos desanimar. Quanto ao anjo de frei Antônio, acho que você lhe deve uma desculpa. Ele acertou em cheio!

– Não precisa se desculpar comigo. Compreendo o que está passando – afirmou o frade. – Meu anjo conhece o comportamento humano muito bem e sabe do seu sofrimento. Atendendo às nossas súplicas, está auxiliando na intercessão por Gabriela e Maria de Lourdes.

– Que bom – falou Rafael, envergonhado. – Não quero inimizade com nenhum ser angélico. Já bastam os problemas que tenho que enfrentar aqui na Terra. Não preciso de mais alguns no céu!

– Um homem privilegiado como você só pode ser querido pelos seres angélicos – comentou Irene.

Abrindo um sorriso de alívio, recostando-se na cadeira, Rafael disse:

– Ao que tudo indica, a cirurgia vai se arrastar por mais tempo. Para amenizar a ansiedade da espera, gostaria que falássemos um pouco sobre os anjos. Pode ser?

– Por mim, está excelente – concordou Irene.

– O que me diz, frei? Você é o maior especialista que conheço no assunto.

– Claro, será um prazer. Mas, antes de tudo, devo lhe dizer que, na minha opinião, não existem especialistas em anjos.

– Ora, para todos os temas há experts. Tenho certeza de que você é um deles – replicou Irene.

– Os anjos são criaturas muito diferentes de nós. O mundo deles também não encontra semelhança com este em que estamos. Conhecemos apenas aquilo que eles desejam nos revelar, o que não é muito. Por isso, não dá para ninguém se arvorar em especialista sobre anjos.

– Você fala isso por humildade – insistiu Irene. – Sei de seus dons. Além do mais, é doutor em teologia.

– Nada disso me credencia como especialista em seres angélicos. De qualquer modo, podemos conversar sobre eles. Se eu souber, responderei a suas perguntas com a maior alegria.

– Naquela hora em que me vi diante da jovem, ou melhor, do meu anjo da guarda, notei que as cores no corredor do hospital estavam diferentes – começou Rafael. – As paredes pareciam ter brilho próprio. O chão também.

– Sim. Na dimensão espiritual, o mundo tem outra coloração – respondeu frei Antônio, tranquilo.

– Mas os anjos da guarda não deveriam aparecer com asas? Não deveriam ser brancos com cabelos louros e cacheados? – questionou Irene.

Frei Antônio gargalhou.

– Parece que você anda vendo muito filme no cinema! Os anjos podem assumir qualquer forma, até mesmo forma animal. No seu caso – o frade apontou para Rafael –, ele foi muito inteligente: como você mesmo me contou, a moça parecia alguém familiar. Então, sou obrigado a reconhecer a habilidade do ser angélico em se aproximar de você. Veja, ele se materializou do melhor modo possível.

– Cadê as asas? – Rafael fez coro com Irene.

– Vejo anjos desde que era um menino bem pequeno, mas nunca os vi com asas. Na Bíblia, os profetas do Antigo Testamento descreveram os anjos com certo número de asas. Trata-se de algo simbólico, que diz respeito a hierarquia, poderes e funções. Uma alegoria. Infelizmente, as pessoas tomaram aquilo tudo ao pé da letra.

– Entendo. Imagino que os pintores renascentistas basearam sua representação dos anjos nessas passagens bíblicas, acrescentando-lhes asas. Isso fica no subconsciente do povo.

– Provavelmente. Além disso, as asas simbolizam que essas criaturas não estão sujeitas à gravidade. Naquela época, só se imaginava que alguém pudesse flutuar ou voar se tivesse asas.

– Pode ser. Não entendo por que um anjo apareceria para uma pessoa de pouca fé como eu. É um fato comum?

– Todos os seres humanos têm um anjo da guarda. Não importa a crença, a etnia ou a cultura em que foi criado. Deus nos presenteou com um anjo protetor no momento de nossa concepção no ventre materno. Se seremos pecadores ou santos durante nossa caminhada terrena, é outro assunto. A ideia de nosso Criador foi excelente: enviou um mensageiro para guiar os passos, neste mundo material, daqueles que quiserem ficar perto das coisas do Reino dos Céus.

Observando o silêncio de Rafael e Irene, frei Antônio acrescentou:

– No seu caso, penso que o Pai Eterno quis lhe enviar um grande socorro. Num momento de crise, de intenso sofrimento, ninguém melhor que o mensageiro do Altíssimo para lhe prestar auxílio, não acha?

– Como eu gostaria de ter uma experiência assim. Mas nunca me aconteceu. Será que meu anjo da guarda não gosta de mim? – questionou Irene.

– Ele é o mensageiro do Pai Celestial. Então, todo o amor que Deus sente por você está também presente no anjo da guarda. A questão de ter acesso ou não ao anjo não diz respeito ao amor. Todos os seres angélicos amam profundamente seus protegidos.

Com o olhar pensativo fixo no sacerdote, Rafael assentiu. Irene não pareceu satisfeita com a explicação. O sacerdote prosseguiu:

– Rafael, alegre-se! Nosso Deus ouviu suas preces, está ao seu lado, representado pelo seu anjo da guarda. Irene, após suas orações diárias, peça ao anjo que se manifeste a você. Tenho certeza que vai atendê-la.

– O problema é que não sou um homem de fé – replicou Rafael. – Quando trouxe Gabriela aqui para o hospital, pensava que tudo estava terminado, que meus dias finais na Terra seriam de pura solidão. Para mim, a perda de minha mulher era praticamente certa. A da minha filha também. Não tinha muito ânimo para a oração. Como Jesus poderia favorecer alguém assim?

– Deus é gratuidade e amor. Ele o ama muito. Você, de algum modo, deu abertura para que o poder do Altíssimo adentrasse sua vida. Sobretudo na situação de crise em que vive. Na sua imensa bondade, Ele entrou pela porta que você abriu.

– Não me recordo de ter confiado em Deus dessa forma. Será que o convidei a tomar conta da minha vida? Não sei...

– Vou lhe dizer uma coisa importante: nosso Pai Eterno não arromba a porta da casa dos filhos. Ele é muito amoroso e educado. De tempos em tempos, bate à nossa porta e pergunta se pode entrar. Muita gente recusa, falando que está tudo bem e não precisa de nada da parte do Senhor. Você, ao contrário, gritou por socorro. Agora nosso Criador está demonstrando todo o seu afeto por você.

– Verdade. Aliás, nesses anos todos à frente do grupo de oração, vejo exatamente isso – corroborou Irene.

– Não entendo esse afeto. Por que, em seu amor, Ele deseja que eu passe por tanto sofrimento? – insistiu Rafael.

– Porque é um pai zeloso. Nesse imenso amor de que estamos falando, educa o filho para que fique apto a ingressar no Reino dos Céus. Deus não é imediatista. Ele quer uma solução definitiva para sua vida. Não o quer apenas por alguns momentos de sua existência, mas por toda a eternidade. Para tanto, você precisa estar preparado. Seu espírito precisa estar pronto para morar com o Altíssimo.

– Essa preparação é muito dura. Será que é assim para todo mundo?

– Claro. Mas você não deve ficar comparando sua cruz com a das outras pessoas. Somos todos diferentes, portanto Deus tem provas diferentes para cada um de nós. Eu diria que são testes sob medida. Agora, saiba que todos nós seremos provados aqui na Terra. Ninguém passará incólume. Por isso, é preciso que acrescente outra qualidade importante a Deus: além de amor, Ele também é justiça.

– Essa justiça de Deus me assusta um pouco. Tenho medo do que Ele vá arrumar para mim daqui em diante.

– Não diga uma coisa dessas! – repreendeu Irene.

– Não tema – aconselhou o sacerdote. – Apenas procure viver sob as normas do Senhor. Um dia após outro, buscando estar cada vez mais próximo dele. Note que nossa vida não é feita apenas de testes. Há muita coisa boa que o Pai Celestial nos envia. Ele tem presentes para seus filhos.

– Presentes?

– O que dizer da visão que você teve do anjo da guarda? Do diálogo que tiveram? Quantos privilegiados neste mundo puderam ter um acesso tão direto a um ser angélico? Não seja ingrato, pois isso Deus não aprova. Lembre-se sempre da passagem que está narrada no Evangelho, em Lucas 17, 11-19.

– Que passagem?

– Dez leprosos foram encontrar Jesus em um povoado. Pararam de longe e gritaram: "Jesus, Mestre, tem compaixão de nós!" Quando o Senhor os viu, apenas lhes disse: "Vão apresentar-se aos sacerdotes." E o que aconteceu?

– Ficaram curados?

– No caminho, perceberam que estavam curados. O problema é que só um deles voltou atrás dando glória a Deus e se jogou no chão, aos pés de Jesus, em gratidão. Sabe o que o Mestre lhe disse?

– Não me lembro.

– Inicialmente, lhe perguntou: "Não foram dez os curados? E os outros nove, onde estão? Não houve quem voltasse para dar glória a Deus, a não ser este estrangeiro?" E, então, falou ao homem: "Levante-se e vá. Sua fé o salvou." O que podemos concluir?

– Sem dúvida, Deus fica muito grato quando reconhecemos seus presentes e vamos aos seus pés lhe agradecer.

– Perfeito.

O frade pousou a mão no ombro de Rafael. Irene exibia um leve sorriso.

– Recomendo que, com mais intensidade ainda, agradeça o nascimento de sua filha – orientou o padre. – Aproveite e já agradeça logo a cura de sua esposa! Isso é o que o Todo-Poderoso tem para você, para sua vida, para que creia.

– Mas ela ainda não está curada. A situação é grave.

– Você disse bem: *ainda* não está curada. Posso lhe garantir: ela estará bem muito em breve. Não tenho certeza da extensão dessa cura, mas estou certo de que, em breve, conversarei frente a frente com Gabriela.

– Amém! Tenho fé que será assim! – bradou Irene.

Eles permaneceram em silêncio por alguns instantes. O rosto de Rafael relaxou e ganhou uma expressão de alívio. Provavelmente o homem estava certo. Ele era um profeta, e profetas não costumam se enganar.

Rafael decidiu voltar ao assunto dos anjos:

– O sonho que tive com meu anjo da guarda me pareceu extremamente real.

– Pelo que contou, na minha opinião foi uma experiência mística real. Algo semelhante ao que se passou com São José, por exemplo.

– Não entendi. São José?

– Sim. Não tinha pensado nisso... – interveio Irene.

Frei Antônio pegou, em sua pasta de couro, a pequenina Bíblia de capa marrom e a abriu.

– Aqui está, encontrei. Vou ler para você. "Enquanto José pensava nisso, o Anjo do Senhor lhe apareceu em sonho, e disse: 'José, filho de Davi, não tenha medo de receber Maria como esposa, porque ela concebeu pela ação do Espírito Santo. Ela dará à luz um filho, e você lhe dará o nome de Jesus, pois ele vai salvar o seu povo dos seus pecados.'" É o que está escrito em Mateus 1, 20-21. Acredito que você conheça o texto, certo? – O frade sorriu, complacente.

– Sim, conheço. Engraçado, nunca me toquei da grandiosidade da experiência mística que ela apresenta. – Rafael também sorriu. Os detalhes começavam a fazer sentido em sua mente agitada. – Então os anjos podem se comunicar conosco através de sonhos, ainda que não sejamos merecedores como São José.

– É verdade, se tivéssemos que ser como São José, ninguém iria ver anjo nenhum! – constatou Irene.

– Sim. Essa é uma das formas que eles utilizam para fazer contato com os seres humanos. Em especial os anjos da guarda, quando querem passar uma mensagem aos seus protegidos.

– Gostaria muito de falar com meu anjo da guarda de novo. Como faço para que ele, ou melhor, ela apareça de novo para mim?

– Vou lhe dizer o que já disse à Irene: reze e peça essa graça a Deus. Todos os dias, chame a criatura angélica mentalmente algumas vezes. Trate-a como uma amiga querida, alguém que, mesmo sem poder ser visto, está ao seu lado em todos os momentos. Isso vai agradar ao anjo. Ele vai compreender que você quer estreitar os laços de amizade. Em algum tempo, seu anjo da guarda vai procurá-lo e fazer com que a comunicação ocorra.

– Não acredito que perdi a oportunidade de falar sobre assuntos importantes, de saber mais a respeito do mundo espiritual. Fui surpreendido pelo anjo em forma de mulher. Em minha cabeça havia um turbilhão de incertezas. Estava muito mal com todos os acontecimentos. Enfim, não estava preparado para uma visita angélica. Fico muito triste de ter desperdiçado...

– A meu ver, você não perdeu nada. O anjo veio lhe dar um recado muito importante. Além disso, quis demonstrar que está presente, intercedendo por sua causa. Quer algo mais importante do que isso?

– Será que meu anjo captou tudo aquilo que estava na minha cabeça naquele momento? Os anjos podem ler a mente das pessoas quando bem entendem?

– Como regra, não podem. A exceção se dá quando Deus permite.

– Mas dizem que boa parte da comunicação deles conosco se faz telepaticamente... – ponderou Irene.

– Sim.

– Não compreendi. Se o modo de comunicação dos anjos é telepático, não faz sentido a incapacidade de ler a mente – retrucou Rafael, confuso com tanta informação.

O frade abriu um largo sorriso e esclareceu:

– Os anjos podem falar, caso queiram. Nesse caso, ouvimos suas vozes. Em geral, porém, preferem a linguagem da telepatia, pois podem transmitir o que querem de modo mais veloz.

– São telepatas, mas não leem mentes? – Irene se espantou.

– Vejo que ainda não compreenderam. Vou dar o exemplo do meu anjo da guarda. Se eu quero que ele venha rezar comigo, direciono meu pensamento ao Reino dos Céus e o convoco. Onde quer que esteja, ele recebe meu pensamento, como se recebesse um e-mail ou um telefonema, e, caso queira, vem até mim. Quando estamos frente a frente, ele não pode ler o que está em minha mente. Em geral, recebe e compreende aqueles pensamentos que lhe envio. Para isso, é necessária minha intenção em me conectar com ele. É preciso que eu deseje dialogar. Fora isso, o anjo só poderá saber o que estou pensando se Deus assim o quiser e determinar. Entende?

– Agora, sim. Achava que os anjos e demônios tinham permissão para invadir nossa mente...

– Muita gente acha isso, mas não é bem assim. O mesmo acontece com os demônios: não podem ler pensamentos, a menos que a pessoa se conecte de algum modo com o anjo caído ou que Deus assim o permita.

– Mas, pelo que sei, parece que os demônios sabem o que vai na cabeça das pessoas.

– Sabem, mas não por invadir a mente de alguém. Eles são muito mais inteligentes do que nós. Conseguem captar, pela simples observação do que você faz e diz, quais são os seus reais desejos e intenções. A percepção dos seres angélicos e, como você sabe, os demônios são anjos caídos, é muito maior do que a dos seres humanos.

– Existe algum exercício espiritual para que minha comunicação com meu anjo da guarda seja mais clara? Algo que eu possa utilizar todos os dias, logo pela manhã – insistiu Rafael. Ele queria alguma diretriz prática.

– Faça o seguinte: logo que acordar, trace o sinal da cruz sobre você. Acenda uma vela no local de sua casa em que costuma orar. Chame mentalmente por seu anjo da guarda. Como você já o viu, fica mais fácil. Tente visualizá-lo. Procure sentir, com seus sentidos humanos mesmo, a presença dele. Reze o terço na intenção de fortalecer sua amizade com ele. Isso vai lhe tomar algum tempo. Com o passar dos dias, você perceberá que estará mais atento ao anjo e novas sensações estarão presentes enquanto ele estiver ao seu lado.

O sacerdote colocou a mão no ombro do amigo e prosseguiu:

– Após o convite ao anjo e a oração do terço, fique por algum tempo em silêncio. Concentre-se na imagem que viu.

– A da jovem de pele reluzente?

– Isso mesmo. Ainda que no momento não a sinta, converse mentalmente com ela, como se estivesse presente. Fale sobre suas dificuldades, sobre o dia que está se iniciando, sobre seus afazeres. Peça que ela o ajude em tudo, que lhe dê bons conselhos e impeça que você enverede por caminhos perigosos ou desagradáveis a Deus. Espere mais um tempo em silêncio, para ver se consegue entender a resposta do ser angélico. Depois, encerre a oração com o sinal da cruz.

– Parece simples – apreciou Irene.

Os três foram interrompidos de novo por um jovem médico, que saiu apressado do centro cirúrgico. A notícia que trazia dessa vez era boa: a operação estava a pleno vapor e, até aquele ponto, tudo corria bem. A equipe médica estava confiante no sucesso. Já que ainda restavam algumas horas para o final, Rafael, Irene e Antônio poderiam ir embora do hospital e retornar no dia seguinte.

Rafael sentiu em seu coração que a profecia do frade tinha grande chance de se cumprir. Assim, mais tranquilo, convidou Irene e frei Antônio para jantar. No restaurante, falaram sobre o último ano. A tia de Gabriela levava uma vida estável e tranquila. Seu único problema era a saúde da sobrinha. Já o padre, depois de passar por muitas dificuldades, parecia ter encontrado paz e sucesso em Portugal. Essa notícia alegraria Gabriela, que, anos antes, havia recebido a incumbência de ser sua psicóloga por um breve período.

Por volta das onze da noite, os amigos se despediram e marcaram de se encontrar no dia seguinte bem cedo, na maternidade do hospital, para visitar a pequena Maria de Lourdes e aguardar o resultado da cirurgia de Gabriela.

Pela primeira vez em meses, Rafael dormiu profundamente. Acordou sete horas depois e consultou o relógio. Estava muito atrasado. Vestiu-se correndo para ir à maternidade. Quando chegou, viu frei Antônio em frente à incubadora com um livro aberto, fazendo orações e aspergindo água benta. Irene estava ao seu lado, bastante concentrada, olhando fixamente para a criança. Os dois não notaram a presença dele.

Vendo que Rafael andava em direção aos dois, uma enfermeira de plantão se aproximou e perguntou-lhe se conhecia o sacerdote. Ele explicou que era o pai da menina e que o frade era um amigo da família. A mulher explicou que, naquele momento, o franciscano estava dando a unção dos enfermos para Maria de Lourdes. O sangue de Rafael gelou. O que significava aquilo? Decidiu permanecer ao lado da enfermeira, esperando o final da oração. Assim que o rito terminou, Rafael aproximou-se, confuso, e falou ao frade:

— Pensei que você estava confiante na sobrevivência de minha filha. Vejo que me enganei. A enfermeira me disse que você acabou de dar a extrema-unção a Maria de Lourdes.

O sacerdote estreitou os olhos.

— Não entendi... Obviamente não mudei de ideia. Sua filha sairá daqui curada. Não gosto de chamar o sacramento assim. O nome correto é unção dos enfermos. É aplicado para a cura da pessoa que o recebe. Por que a dúvida?

Ainda nervoso, Rafael respondeu:

— Como pode dar um sacramento para a menina se ela não foi batizada? Não é necessário o sacramento do batismo para que o católico esteja habilitado a receber os demais?

— Calma. Deixe que frei Antônio explique tudo – interferiu Irene.

O frade tomou Rafael pelo braço e o conduziu ao corredor. Irene os seguiu. Pararam em frente ao vidro que dava para o berçário.

— Aqui podemos conversar melhor, sem atrapalhar a paz dos bebês e das enfermeiras.

— Desculpe meu nervosismo, mas preciso saber: ela vai ficar curada ou não? A unção dos enfermos é dada para aqueles que estão perto de deixar esta vida. Foi assim com meu pai...

— Com todo o respeito, sua noção sobre o sacramento que acabei de ministrar está completamente equivocada – interrompeu o sacerdote.

— Não foi o que aprendi no colégio – insistiu Rafael.

— Acredito que não se lembre bem da aula sobre a unção dos enfermos.

— Talvez.

— Olhe para os sacramentos pelo ângulo correto. Você tem noção da eficácia deles?

Frei Antônio percebeu que a dúvida permanecia no olhar do outro. Então, concluiu que seria melhor esclarecer de vez a questão:

– É o próprio Cristo quem age neles, comunicando sua graça. A partir do momento em que o sacramento é celebrado, da forma pregada pela nossa Igreja, o poder do Espírito Santo atua, independentemente da santidade pessoal do ministro. Daí o ensinamento de que os sacramentos são sinais eficazes da graça, instituídos pelo próprio Cristo e confiados à Igreja.

– Não estou questionando sua santidade e competência em celebrar os sacramentos nem a autoridade da Igreja Católica!

– Eu sei. Só estou frisando o tamanho do poder de um sacramento. Os sacramentos do batismo, eucaristia e crisma lançam os fundamentos da vida cristã. Além deles, existem dois sacramentos de cura, sabia?

Os olhos de Rafael se arregalaram.

– De cura? Quer dizer cura física?

– Jesus é o médico de nossa alma e de nosso corpo. Então, os sacramentos da confissão e da unção dos enfermos estão aptos a curar nossa mente, nossas emoções e nosso corpo.

– Por isso você estava ministrando a Maria de Lourdes a unção dos enfermos. – Rafael, envergonhado, olhou para o chão por um momento. – Pensei que fosse um sacramento de preparação para a morte. Pensava que receber a unção dos enfermos significava estar prestes a morrer.

– Infelizmente, muita gente pensa assim. Mas não é verdade.

– Uma pessoa que não foi batizada pode receber a unção dos enfermos para obter a cura de sua doença?

– Não. A iniciação cristã se dá com o batismo. Por isso, marquei sua filha com o "selo do Senhor".

– Você batizou Maria de Lourdes sem a minha presença?! – constatou Rafael, chateado.

– Sim. Irene é a madrinha.

– Você nem imagina o quanto estou feliz! – bradou a mulher.

– Quando chegamos aqui bem cedo, a enfermeira-chefe percebeu, pelas minhas vestes, que eu era sacerdote. Mostrou-me seu crachá e se identificou como católica. Pediu que eu entrasse para ver os recém-nascidos com olhos espirituais. Apresentou-me uma criança que está entre a vida e a morte e me garantiu que os pais eram católicos. – Ele apontou para a incubadora do canto direito da sala. – Após mencionar o desespero dos pais do menino, que se encontra em situação similar à de Maria de Lourdes, a enfermeira disse que eles manifestaram o desejo de que seu filho não falecesse sem o batismo. Ela explicou que queriam a presença de um padre, mas que o hospital não tinha mais capelão. Então, quando me viu chegar, me pediu com insistência que celebrasse o batizado do bebê imediatamente.

– Diante daquela situação, falei ao frei que ele tinha a obrigação, como enviado do Senhor, de socorrer a criança – completou Irene.

– Você batizou o menino?

– Não só o menino. Meu anjo da guarda insistiu para que eu também batizasse Maria de Lourdes. Assim que concluí a tarefa, ele me disse que deveria ministrar a ambos o sacramento da unção dos enfermos.

– Sinceramente, fico triste porque queria ter presenciado o batizado de minha filha.

– Batizado não é evento social.

– Verdade. Além do mais, você chegou aqui bem atrasado – retrucou Irene.

Vendo a expressão triste de Rafael, ela acrescentou:

– Mas não tem problema. Você precisava muito descansar.

Depois de uma breve pausa, o frade prosseguiu:

– Diante da situação grave dos bebês, não poderia me omitir. Portanto, os batizei *in extremis*, ou seja, emergencialmente.

– Espero que isso traga a cura aos dois... – disse Rafael.

Com Rafael mais calmo, os três se dirigiram para o interior do berçário. A enfermeira explicou que Maria de Lourdes estava com suas funções vitais equilibradas e que a pediatra faria uma visita mais tarde, quando poderiam receber um relatório mais completo sobre seu quadro de saúde. No fim, Rafael saiu da maternidade confiante. Sua filha estava vencendo a luta contra a morte.

Após um café de máquina sem graça, o trio desceu as escadas do hospital para se sentar na fileira de cadeiras de metal próxima à porta do centro cirúrgico, onde a operação de Gabriela estava em andamento.

Após duas horas de espera, a equipe médica saiu da sala em passos comedidos. Rafael se levantou como um foguete. Frei Antônio, com um leve sorriso nos lábios, se pôs ao seu lado e deu suavemente três tapinhas em suas costas. Irene uniu as mãos na altura do peito como se estivesse em oração.

– Então? Minha esposa está bem? Onde está o Dr. Kamel? – perguntou Rafael.

– A cirurgia foi um grande sucesso. O Dr. Kamel precisou sair apressadamente, foi para outra cirurgia. Gabriela será levada agora para o CTI. Está em coma induzido. Extraímos o tumor por inteiro. Não houve perda significativa de massa encefálica. Acreditamos que Gabriela ficará bem, apesar do longo caminho de recuperação.

– "Ficará bem"? Isso é muito relativo, doutor. Na sua avaliação, quais são as chances de ela voltar a andar, ter sua coordenação motora normalizada e falar? – disparou Irene.

– Não temos como prever nada por enquanto. O que podemos afirmar é que a operação foi muito bem-sucedida e a recuperação será bastante demorada. Nesse percurso, tudo pode acontecer, inclusive a paciente voltar a gozar de suas funções normais.

– Quando poderemos vê-la? – quis saber Irene.

– Hoje não permitiremos visitantes. Só amanhã a partir do meio-dia. Podem entrar duas pessoas por vez e o tempo de visita é de duas horas.

– Sou médico. Posso entrar lá a qualquer momento. Mas gostaria de falar com o médico-chefe do CTI.

– O chefe do CTI é o Dr. Almeida. A equipe manterá o coma pelo menos nessas primeiras horas. Talvez seja melhor o senhor voltar para casa e retornar amanhã.

– Sim, tem razão. Quanto ao Dr. Almeida, o conheço faz tempo. É excelente. Vou ligar para conversar com ele sobre minha esposa mais tarde. Obrigado pelas informações. – Rafael sorriu sem ânimo.

Após a partida do médico, frei Antônio disse:

– Entendo a sua preocupação, mas acredito que a vitória já é nossa. Amanhã, quando voltarmos aqui para a visita, gostaria de ver você com uma cara melhor. Assim, vai demonstrar a Gabriela que confia em sua cura total.

Rafael assentiu e caminhou com o frade e Irene até os elevadores.

Ao saírem do hospital, Rafael perguntou se frei Antônio queria uma carona até o convento onde estava hospedado. Ele recusou e explicou que tinha um doente para visitar próximo dali. Irene, por sua vez, queria ir à missa numa igreja próxima. Os três, então, se despediram e marcaram de se encontrar na porta do CTI no dia seguinte, às onze e meia.

Quando Rafael entrou em seu carro, sentiu um grande alívio. Por enquanto, sua mulher estava viva e tinha chances de voltar a ser quem era antes da doença. Agora, outra guerra teria início: sua recuperação. Como Gabriela reagiria sem o tumor? Psicologicamente, será que estava muito abalada? Provavelmente não. Ele sabia que o espírito da esposa era dotado de grande dose de coragem. Se havia alguém no mundo com capacidade e disposição para vencer um combate como aquele, era Gabriela. Uma nova etapa começava naquele dia. Rafael precisava estar preparado. Sua mulher com certeza estava, e acordaria a qualquer momento.

No dia seguinte, logo após o nascer do sol, Gabriela abriu os olhos. Sua visão demorou a se acostumar com a luz fria do teto do CTI. Estava tudo embaçado. Ao tentar girar o corpo, se sentiu amarrada. Não conseguiu descolar as costas do colchão. Por instinto, procurou levar a mão ao rosto com toda a sua força, mas esta não obedeceu.

Alarmada, tentou dobrar a perna direita. Nada aconteceu. Com dificuldade, virou a cabeça na direção contrária à parede. Sentiu os diversos tubos retardarem seu movimento.

Depois de algumas tentativas com as pernas e os braços, Gabriela chegou à conclusão de que o corpo não estava sob seu controle, exceto a cabeça e os olhos. Tentou chamar os médicos e enfermeiros, mas sua voz não saiu. Não conseguiu apertar o botão posicionado na lateral da cama, já que os membros pareciam inutilizados. Seu coração disparou cheio de medo. Estaria paraplégica? Melhor não tirar conclusões precipitadas.

Com o passar dos segundos de olhos abertos, as imagens foram ficando mais nítidas à sua frente. Assim que a visão retornou ao normal, resolveu examinar o lugar onde estava: um boxe todo aparelhado em alguma ala do hospital. Lembrava-se de ter sido submetida a uma cirurgia muito grave, para a extração de um tumor no cérebro. Não tinha noção de quanto tempo ficara desacordada nem do resultado. Certamente não havia sido algo rápido. Ninguém opera um cérebro em duas horas! Enfim, perdera por completo a noção do tempo e, pelo visto, algo não dera certo...

Com alguma dificuldade, sua boca formou um sorriso. Pelo menos ela estava viva! No dia da operação, quando o médico anunciou que estava na hora de seguir para o centro cirúrgico e a equipe de enfermeiros a colocou na maca fria e dura, Gabriela fez uma breve oração de despedida. Agradeceu a Deus pela vida que tivera e pelo sucesso profissional e familiar que alcançara. Ponderando a possibilidade de não sair com vida ou ficar para sempre sem suas faculdades mentais, fez também um pedido: que a filha nascesse com saúde, cuidasse do pai e fosse uma boa mulher. Rafael era um homem frágil e precisaria desse apoio.

Essa recordação fez disparar um alarme em sua cabeça. Aflita, Gabriela pensou: "Meu Deus! Minha filha! O que será que aconteceu? Se eu estou aqui, viva, onde ela está? Será que também sobreviveu? Preciso me esforçar e chamar alguém da equipe médica. Quero ver minha filha!" Com todas as forças de seu corpo combalido, conseguiu encolher o braço esquerdo. Não era o movimento que pretendia fazer, mas foi o único que o corpo compreendeu. Resultado: o pedestal com ganchos que sustentavam bolsas de remédios foi ao chão. O barulho chamou a atenção da equipe de enfermagem.

– Aparecida! Chame o Dr. Almeida imediatamente! A paciente do boxe 13 acordou e está agitada. Derrubou todos os medicamentos – disse o enfermeiro que encontrou o pedestal e a mulher de olhos arregalados no chão.

Gabriela, por sua vez, vivia uma situação inusitada. Enxergava o enfermeiro à sua frente com nitidez. Em sua mente, formulava as inúmeras perguntas que queria ver respondidas por ele. Seus lábios se moviam, sentia o som saindo deles. No entanto, por algum fator alheio à sua vontade, o homem parecia não compreender nada do que ela falava! O que estava acontecendo?

– Senhora, se acalme, por favor. Não entendo nada do que está dizendo. Só escuto seus murmúrios. Vai se cansar à toa desse jeito. O médico já foi avisado de que a senhora está acordada e estará aqui em alguns minutos. Tenha um pouco de paciência – disse o homem, procurando aparentar calma.

– Talvez ela esteja sob efeito da anestesia, por isso não consegue falar direito, Paulo. – A voz era de outra enfermeira, que veio ajudar.

Gabriela concluiu que podia ouvir e entender o que estavam falando, mas eles não compreendiam nada do que ela dizia. Seria efeito da cirurgia, como sugerira a enfermeira? Seu medo era que a incisão no cérebro tivesse causado a perda da capacidade de falar. Já ouvira relatos desse tipo.

Seu quadro não era nada promissor. Algo precisava ser feito. Ela não podia ficar ali parada esperando que alguém lhe apresentasse uma solução.

– Muito bem! Vejo que já acordou, antes do que projetamos. Excelente! – Era o médico-chefe do CTI. – Saiba que temos uma grande surpresa para você. Mas, antes, deixe que eu me apresente. Sou o Dr.

Almeida e conheço seu marido faz tempo. Trabalhamos juntos em alguns hospitais. Rafael é um médico fora de série. É uma honra poder cuidar de você aqui, no nosso CTI.

"Surpresa?!", pensou a paciente. "Boa ou ruim? Por enquanto, doutor, a única notícia boa que recebi foi estar viva. De resto..." pensou Gabriela, com raiva.

– Deu tudo certo. A operação foi um grande sucesso. Extraímos, desde a raiz, o tumor que estava em seu cérebro! Não podemos prever como será a recuperação, mas estamos confiantes de que sairá tudo bem.

O homem gentilmente tocou a fronte de Gabriela. Ela arregalou os olhos. Queria informações mais específicas. Tentou perguntar "Cadê minha filha? O que significa ter sido um grande sucesso? Vou voltar a falar e andar?", mas, como já havia notado, ninguém entendeu nada.

– Gabriela, quero parabenizá-la. Você é mãe de Maria de Lourdes, uma linda menina, que está na nossa maternidade!

O médico pareceu ler a mente dela. Enfim uma informação valiosa.

Ao ouvir a notícia, Gabriela relaxou. A raiva evaporou. O sorriso veio fácil aos lábios e as lágrimas começaram a rolar, molhando o travesseiro branco.

"Sou mãe!" Esse pensamento iluminou seu rosto. "Quem poderia prever? Boa parte das pessoas achou que eu e a criança que carregava no ventre estávamos selados para a morte. As duas sobreviveram! Cadê Rafael? Espera: minha filha nasceu prematura. Será que está bem de saúde? O que estão dando para ela se alimentar? Não tenho condições de dar meu leite deitada aqui no CTI. Preciso sair daqui o mais rápido possível." O nervosismo tomou conta novamente de Gabriela.

– Seu marido tem vindo ver a filha todos os dias no berçário com sua tia – disse o médico, simpático. – Há também um amigo seu muito presente por aqui, um frade franciscano. Esqueci o nome dele.

Gabriela piscou, espantada. O único sacerdote franciscano com quem tinha amizade era o místico frei Antônio. Será que estava por lá? Voltara ao Brasil? Precisava mesmo que ele abençoasse sua filha. Era um reforço de peso para aquele momento difícil. Deus sabia como ela precisava do marido e das orações de um homem santo e cheio de dons. Aliás, o frade precisava batizar a menina o mais rápido possível, para poder lhe dar a unção dos enfermos! Será que Rafael tinha pensado nisso?

Movida pelo imenso desejo de ver e segurar a filha, Gabriela tentou se sentar na cama. Mais uma vez, nada pôde mexer. A cada tentativa, seu nervosismo só fazia aumentar.

– Calma! – disse o médico, colocando a mão em seu ombro. – Não está na hora de fazer esforço físico. Você passou por uma cirurgia longa e complicada. O tempo, agora, é de repouso. Além disso, por enquanto não poderá estar com sua filha.

A informação caiu como um balde de água gelada.

– Maria de Lourdes está em uma incubadora devido ao nascimento prematuro. Seu estado de saúde ainda é delicado, apesar de estar em franca recuperação. Assim que ela estiver liberada pela pediatria, será trazida para cá.

Gabriela fechou os olhos com força, tensa. Uma enfermeira que acabara de entrar no box comentou:

– Doutor, não se preocupe. Vamos passar em breve todas as informações para nossa paciente.

– Muito bem. Gabriela, virei visitar você todos os dias, por volta das quatro da tarde. Vou checar seus exames e acompanhar a evolução do seu estado de saúde. Estou em constante comunicação com o Dr. Kamel e com seu marido. Por enquanto, todos nós da equipe estamos muito satisfeitos. Foi uma grande vitória, sabe? Daqui a pouco, você poderá receber visitas. Tenho certeza de que seu pessoal estará aqui em festa. Virão para alegrá-la. Agora, preciso ir embora. Tenho outros pacientes para ver.

O médico se despediu e saiu.

Depois de toda a discussão que tivera com Rafael sobre o nome da filha, ela precisava reconhecer: ele tinha sido magistral. "Maria de Lourdes" era perfeito. Ela mesma não teria feito melhor. Por falar nele, como estaria seu espírito? A mulher em coma e a filha em uma incubadora. Prato cheio para uma depressão. Que situação mais complicada! Sabia que o marido era um homem muito inteligente, mas sem fortaleza interior. Necessitava muito do apoio dela. Era possível que, àquela altura, estivesse com o lado emocional devastado. Ela tinha que se levantar daquela cama e voltar a falar corretamente com a maior urgência, para reerguer seu esposo e cuidar de sua filha.

Depois de meia hora, quando já se acostumava com o local onde estava internada, Gabriela recebeu a visita de outra enfermeira.

– Como está se sentindo? – Antes que a paciente pudesse responder, ela continuou: – Precisamos coletar seu sangue. São os exames que o Dr. Kamel pediu.

A mulher, toda de branco, começou a procurar uma veia.

– Não gosto de tirar sangue. – A voz de Gabriela, apesar de baixa, ecoou pelo recinto.

– Infelizmente, não tem jeito. Teremos que tirar seu sangue muitas vezes ainda.

Os olhos de Gabriela se encheram de alegria. Enfim alguém tinha compreendido o que ela havia falado! Não perdera a capacidade de se comunicar. Seu corpo estava reagindo.

– Como é seu nome? – quis saber Gabriela.

– Aparecida.

A moça, simpática, olhava com atenção para os frascos que preenchia com o sangue da paciente.

– Muito obrigada, Aparecida. Sua mão é leve.

– Ainda bem que a senhora não tem medo ou aflição de agulhas. Terei que espetá-la muitas vezes ainda. Seus médicos, Dr. Kamel e Dr. Almeida, são muito exigentes e cuidadosos com os pacientes. Determinaram uma rotina de exames.

– Sim, são excelentes médicos. Tenho certeza de que estou em boas mãos. Vocês podem fazer quantos exames forem necessários. Vou colaborar da melhor forma possível.

Gabriela consultou o relógio que estava na parede à sua direita.

– Falta muito tempo para que as visitas entrem aqui no CTI?

– Dentro de quinze minutos a senhora vai poder receber visitas.

– Quanto tempo as pessoas poderão ficar aqui comigo?

– No CTI, nenhuma visita pode permanecer após as duas da tarde. Outra coisa: só podem entrar duas pessoas por vez. Infelizmente, são as regras do hospital. No seu caso, vai ser preciso um revezamento.

– Como assim?

– Além do seu marido, estão aí fora cinco pessoas.

Com um sorriso afável, a mulher se despediu e se retirou.

Gabriela havia se dado conta de que, mesmo deitada em uma cama de hospital, se cansava rapidamente. Por vezes, chegava a cochilar e acordava em sobressalto. Quando estava desperta, para passar o tempo, fixava sua atenção no pouco movimento do CTI. Por causa do estreito boxe, seu ângulo de visão não dava para muito. O tempo passava bem devagar. Sua estada ali seria um grande exercício de paciência. Mais um teste enviado pelo Criador.

"Pelo visto, Senhor, não alcancei até hoje minha graduação no quesito paciência. Faz muito tempo que temos tentado resolver essa falha. Acreditei que tinha melhorado nos últimos anos. Vejo que me enganei e, para o meu desconforto, aqui estamos novamente. O mesmo teste, com intensidade maior", pensou ela, entediada. Por que Rafael e os outros não podiam entrar logo?

"Como era mesmo o provérbio bíblico que o padre José me disse para recitar sempre que ficasse impaciente?" Sem afobação, Gabriela começou a buscar a informação em sua memória. Depois de alguns segundos, lembrou-se da passagem de Provérbios 16, 32: "Paciência vale mais que valentia, e dominar a si mesmo vale mais que conquistar uma cidade." Sozinha em seu leito, abriu um sorriso. Seus sentimentos e pensamentos formavam uma cidade difícil de ser conquistada.

Além do marido, da tia e de frei Antônio, sentia falta de padre José. No fundo, o sacerdote, extremamente inteligente, era seu melhor amigo e grande conselheiro para os assuntos do cotidiano. Sua amizade remontava a um tempo em que não havia sequer conhecido Rafael. José era, sem dúvida, o maior responsável pela sua conversão e vivência da fé. Um homem dotado de bom senso e grande cultura. Não era um religioso alienado da realidade social. Antenado aos acontecimentos do país e do mundo, tinha sempre uma opinião para dar.

Quando Gabriela explicava seus atos a José, no confessionário, e os analisava sob perspectiva psicológica, ele captava de imediato tudo o que ela queria dizer. O mesmo podia ser dito sobre as constantes avaliações que ela costumava fazer das pessoas com quem convivia. Além disso, José havia tomado a iniciativa de levar ao consultório de Gabriela um grande místico, frei Antônio, no momento em que ele mais precisava de ajuda. Percebendo a falta de interesse do frade franciscano, por causa do preconceito em relação ao tratamento psicológico, José foi incutindo aos poucos em sua mente a urgência e a necessidade de procurar a cura. No fim, Antônio foi um paciente exemplar e se tornou um bom amigo.

Entretanto, como ninguém é perfeito, José havia revelado inesperada fraqueza em um acontecimento de suma importância para sua carreira sacerdotal. Ao saber da absurda injustiça que os meios de imprensa e a diocese do Rio de Janeiro praticavam contra seu amigo, ela teve o ímpeto de atacar seus detratores. Pensou em ir aos principais jornais da cidade e explicar o mal-entendido. Queria, inclusive, denunciar o oportunismo dos sacerdotes carreiristas, que tanto invejavam o talento e a formação de José. Para sua surpresa, ele próprio a impediu de fazer isso.

Como tinha amigos jornalistas que poderiam encampar a batalha para limpar o nome do padre, Gabriela ficou muito decepcionada quando José lhe pediu que não fosse aos meios de comunicação para confrontar o silêncio e a omissão do cardeal e da parcela do clero que tinha exigido sua suspensão e expulsão. Conhecia alguns defeitos do amigo, mas nunca o considerara um covarde. Deitada ali, na cama do boxe 13, recordava-se do diálogo que tiveram dias depois de o sacerdote ter se libertado da prisão.

∽

– Que absurdo! De que ou de quem você tem medo? – A voz de Gabriela era ríspida. Seu olhar era como o de uma águia que encontra a presa.

– Você não está avaliando corretamente a situação – respondeu padre José.

– Então me explique do que se trata, porque sua atitude está me cheirando a covardia!

José não se abalou, mesmo porque conhecia muito bem o temperamento da amiga, e decidiu tentar esclarecer o que se passava.

– O cardeal Costa está sofrendo pressão política. Imagine a posição do homem: um padre em quem ele sempre confiou, a ponto de enviar à Itália na qualidade de representante da diocese junto a uma universidade de enorme prestígio na Europa, foi preso por suposto ato criminoso.

– Que conversa é essa?! Confiança? Suposto ato criminoso? Está brincando, né? – Ela não teve paciência para esperar o homem terminar.

José espalmou as mãos diante do rosto da amiga.

– Calma! Deixe que eu complete meu raciocínio.

– Desculpe. Continue, por favor.

– Só estou pedindo que se coloque no lugar do cardeal. Ele foi surpreendido com uma péssima notícia sobre mim. No dia seguinte em que fui preso, os principais jornais estamparam minha cara na primeira página e traçaram um perfil errôneo meu, afirmando que eu atuara em socorro do chefe do tráfico de drogas, na comunidade onde minha paróquia está localizada.

– O absurdo é tão grande que o cardeal Costa jamais poderia ter acreditado. Aliás, se ele fosse um homem honrado, teria reagido imediatamente, impugnando esses meios de comunicação e logo ido à cadeia para conversar com você e saber o que tinha acontecido. Mas não foi o que ele fez. Você mesmo me contou que ele demorou para te visitar. Nem apresentou um advogado para tirar você da prisão! Ainda por cima, fica em silêncio diante das barbaridades que são escritas e ditas a seu respeito pelos meios de comunicação. – Até as orelhas da mulher estavam avermelhadas de fúria.

– De fato, ele não apareceu logo nem enviou um dos advogados da diocese.

– Como eu disse, esse homem não é confiável. Só lhe interessa a própria carreira e reputação. Enquanto você o servia, representando seu nome com louvor na Itália, ele te queria bem. No momento em que aconteceu o incidente, te repudiou. Que caráter é esse? Isso é líder que se apresente? – O volume da voz de Gabriela subiu outra vez.

– Acredito que o cardeal estava envolvido em diversos problemas na diocese e, por isso, não teve tempo de chegar antes na delegacia para me socorrer.

– Isso não alivia a barra do sujeito! Quem te socorreu foi um mafioso. Olha que situação!

– Não diga isso. Não sabemos se o Sr. Luigi é ou não um mafioso. Não podemos olhar as pessoas com tamanho preconceito. Eu sou padre e você é uma grande psicóloga. Não nos cai nada bem... – Pela primeira vez na conversa, José fechou a cara.

– Desculpe. A raiva fez com que eu falasse essa bobagem. Mas não comemore. Quero deixar claro que a única besteira que eu disse foi chamar o italiano de mafioso. O resto, não mudo nem retiro. E ainda quero que você me dê permissão para ir à imprensa explicar o que se passou.

– Não é necessário. Os mesmos jornais que falaram mal de mim tiveram que publicar que meu caso foi arquivado por ausência de culpabilidade. Sou um homem livre. Isso é incontestável. Sou inocente, não há mais nada a explicar.

– Juridicamente, sim. Mas na cabeça do povo e, garanto, de parte do clero, você continua sendo o "padre criminoso". Aceite minha ajuda. Posso dar um jeito nisso. Tenho grandes amigos em lugares estratégicos nos meios de comunicação.

– O assunto já está encerrado. Não quero colocar mais lenha na fogueira. Isso só me traria prejuízo.

– Que prejuízo? Você já está de volta à sua função sacerdotal, continua lotado na mesma paróquia.

– Por isso mesmo. Agora que dom Costa se pronunciou definitivamente em meu favor, não acatando o pedido de suspensão de minhas funções, não quero mais conflito. Sigo com o meu ministério. Pouco importa o que pensam de mim. Eu sei que meu povo, lá na comunidade, me ama.

– Outra vez, isso cheira a covardia. Não vê que assim seus inimigos vencerão? Eles tiram de você a possibilidade de voos maiores na carreira. Você nunca passará de um padre de paróquia pequena e escondida, com todo o respeito à comunidade. Seu preparo intelectual e cultural exige que suba mais degraus. Muitos mais!

– Agora que estamos conversando sobre o assunto, quero lhe dizer mais uma coisa: não sou covarde. O motivo para não querer mais conflito com dom Costa é sério. E não interessa se minha paróquia é pequena. Como sacerdote, sirvo a Deus. O povo que Ele me envia, seja em que quantidade for, é minha responsabilidade. Fazê-los feliz traz a minha felicidade.

– Perdão, me expressei mal. Mas continuo achando que deveríamos atuar ofensivamente no seu caso. Vamos dar uma resposta à altura para seus detratores.

– Lá vem você outra vez... – O padre olhou para o teto e suspirou. – Não vou tomar nenhuma atitude que possa aborrecer dom Costa. Sabe por quê? Fiz um requerimento à diocese do Rio de Janeiro e preciso da assinatura dele.

– Que história é essa? Você não me contou nada...

– Eu sei. Mas estou contando agora.

– Antes tarde do que nunca – replicou ela, ofendida.

– Como você sabe, tenho muita confiança no meu grande amigo, padre Raniero.

– O italiano alto, gordo e simpático?

– Esse mesmo. Liguei para ele e manifestei meu interesse em passar uma temporada no Santuário de São Miguel Arcanjo, em Monte Sant'Angelo.

– O quê?! Acabamos de falar de covardia e você vem me contar que vai fugir do Brasil? Não acredito... – Gabriela deu uma risada de reprovação.

– Não se trata de covardia, minha amiga. Preciso de paz para retomar minha vida, algo que não encontro aqui. Necessito de um tempo de meditação, oração e estudos longe de toda essa confusão. Quero fazer uma experiência em outra diocese.

– Isso significa que vai embora e nunca mais voltar?

– Não, apenas que vou viver longe por uns tempos e, depois, com as ideias em ordem, poderei decidir se vou ou não voltar ao Brasil.

– Pensei que me considerasse um apoio em sua caminhada, da mesma forma que o considero. – A voz de Gabriela soava triste.

– Não diga isso. Você sabe que é uma das minhas amigas mais importantes.

Ele percebeu que o olhar de reprovação não havia saído do rosto de Gabriela.

– Na verdade, é a amiga mais valiosa que tenho. Além do mais, ir para a Itália não significa romper nossa amizade. Estaremos sempre em contato. A distância física, no mundo atual, não é problema.

– Fico um pouco decepcionada. – Gabriela cruzou os braços. – Já lhe disse que provavelmente precisarei fazer uma cirurgia na cabeça. Talvez estes sejam nossos últimos momentos juntos. A morte é uma das hipóteses levantadas pelo meu médico. O tumor está em franco crescimento.

– Você é preciosa para Deus, para seu marido, para seus pacientes e para nossa igreja. O Criador vai lhe dar a cura através do tratamento. Tenho certeza que você vai me visitar, junto com Rafael, no monte Gargano.

– Não estou feliz com a notícia, José... Ainda não lhe contei, mas... estou grávida.

– Que bela notícia! – O padre se pôs a rir.

– Será? Não tenho certeza de que vou sobreviver ao tumor. Imagine a situação. Se eu falecer, o que será do bebê?

– Confie em Deus. Ele te mandou a criança. Rafael está ao seu lado. Tenho certeza de que os planos de Nosso Senhor são mais inteligentes do que podemos vislumbrar.

– Para piorar, vou passar por toda essa provação sem seu auxílio. Minha decepção é enorme. Por favor, não vá para a Itália. Espere a definição da questão da cirurgia. Ou, pelo menos, espere o nascimento da criança. Pode ser?

– Gostaria que as circunstâncias fossem diferentes... Não posso mais esperar. Estou muito fragilizado. Tenho minhas limitações humanas e chegou o momento de me retirar. Preciso me recuperar. Vocês estarão todos os dias sobre o altar. Colocarei seus nomes e intenções em cada missa que celebrar. – José, esforçando-se para dar um sorriso, tentou se remediar.

– Tudo bem...

Gabriela suspirou e olhou, por um instante, para o chão. Depois, mais conformada, perguntou:

– O que falta para sua partida?

– Com relação à Itália, já está tudo certo. Agora estou esperando dom Costa assinar os papéis.

– Ele já lhe informou se vai dar a permissão?

– Ontem, no fim da tarde, falei com a secretária dele. A mulher gosta de mim, pois dei aulas de religião para o filho dela, na universidade. O rapaz sempre falou bem a meu respeito, sabe? – O sorriso de José era de melancolia. – Perguntei a ela, com jeito, se o cardeal seria favorável à minha solicitação.

– O que ela respondeu?

– Que, quando ele pegou os papéis e leu, estava rodeado por bispos auxiliares e alguns padres influentes na diocese. Parece que era alguma reunião importante, relativa à pastoral dos leigos. Ela falou que, depois de fazer silêncio por alguns segundos, ele resolveu dizer em voz alta: "Para vocês que não gostam do padre José, esta é a grande oportunidade de se livrarem dele por um bom período."

– Que homem mais desagradável!

– Sabemos que o cardeal não tem fama de afável. Também não é dado a sutilezas. Mas acredito que ele tem esse tipo de atitude com todos os sacerdotes que estão sob seu comando.

– Parece, então, que a situação está sacramentada. Você partirá mesmo. – Ela estava séria e triste.

– Se Deus quiser.

Ele soltou o ar, aliviado.

De sua cama, Gabriela conseguia ver uma mulher bem idosa deitada no boxe à frente. Sua respiração era tão ruidosa que a fez voltar do mundo das recordações para a dura realidade do CTI. A senhora deveria estar em seus últimos dias. Gabriela se pôs em oração e agradeceu a Deus por ter se tornado mãe e estar viva. Sem dúvida, sua situação era bem melhor do que a daquela mulher.

A próxima etapa era conseguir mexer os membros. Pelo visto, isso exigiria muito esforço. Todavia, não passava por sua cabeça ficar paralisada em uma cama; tinha uma filha para cuidar, precisava dar suporte ao marido. Analisando seu estado atual, concluiu que, da mesma forma como a fala havia retornado, poderia recuperar em pouco tempo todos os movimentos do corpo. Estava decidido: não ficaria prisioneira da imobilidade.

Quando Gabriela ergueu os olhos, um dos enfermeiros entrou para verificar se ela estava bem e comunicar que teria visitas a partir daquele momento. Tão logo ele partiu, Gabriela se deparou com o sorriso escancarado de Rafael. Ele se aproximou de sua cama como um raio e lhe deu um beijo afoito.

– Como é bom ver você! – sussurrou ela, sorrindo. – Desculpe meu estado. Sei que estou um caco!

– Você não sabe o quanto esperei para ver você acordada! Por alguns momentos cheguei a pensar... – Seus olhos estavam cheios d'água.

– O importante é que estamos juntos. E, pelo que eu soube, teremos a companhia de Maria de Lourdes nos anos que nos restam aqui na Terra.

– Já te contaram? Que pena, pensei que iria dar essa notícia tão especial.

– Adorei o nome. Eu mesma não teria uma ideia tão brilhante. Acho que foi seu anjo da guarda que trouxe tamanha inspiração.

– O nome veio das nossas conversas. Você tinha deixado claro que o nome da menina precisava ser Maria. Apenas acrescentei o santuário de que você mais gosta. Uma homenagem justa, não acha?

– Claro! Uma perfeição.

– Sobre essa história de anjo da guarda, depois vamos conversar melhor – disse Rafael com um sorriso. – Imagino que já lhe tenham informado sobre o estado de saúde da Maria de Lourdes.

– Sim. E fico feliz de saber que ela está tendo o melhor tratamento possível. Estou ansiosa para vê-la e poder passar o máximo de tempo com ela. – Gabriela deu um suspiro sentido.

– Quero saber como você está se sentindo.

– Estou ótima.

Gabriela forçava sorrisos. A pequena mentira fazia parte de seus planos para encorajar o marido, pois o caminho pela frente era longo e duro. Ela decidiu mudar de assunto:

– Não quero falar de mim agora. Preciso saber mais de nossa filha. Quais são as chances reais de que saia viva daqui? Estou muito preocupada porque, até agora, não me trouxeram a menina para que eu pudesse ver. Parece ser um mau sinal.

– Não se preocupe. Maria de Lourdes nasceu prematura, por isso está numa incubadora neonatal. Vai precisar ficar lá por algum tempo. Sua saúde já melhorou bastante. Acredito que, em poucos dias, os enfermeiros vão trazê-la para te visitar.

Rafael exagerou um pouco. O olhar inquisitivo da esposa não lhe deixou muitas alternativas.

– Não precisa amenizar a situação – retrucou Gabriela. – Você sabe como sou. Prefiro que me diga com exatidão o que está se passando. Qual é o problema que Maria está enfrentando na maternidade?

– Basicamente, ela tem dois problemas: o coração e o aparelho digestivo.

– É grave?

Após alguns segundos de silêncio, avaliando qual seria a melhor resposta, Rafael optou pela verdade:

– Infelizmente, sim.

– Precisamos, com urgência, de todo o apoio espiritual com que pudermos contar. A parte humana, nós já temos. Esse é o melhor hospital da cidade, certo?

– Sim. – Rafael se esforçou para sorrir. – Por falar em apoio espiritual, tenho uma surpresa que vai te alegrar.

– Frei Antônio está aqui – completou ela antes que o marido pudesse concluir.

– Como sabe?

Rafael estava estupefato. Será que, após a cirurgia, a esposa adquirira alguns dons espirituais?

– O Dr. Almeida disse que, além da minha tia e de você, havia um sacerdote franciscano por aqui. Imaginei que se tratava do meu amigo. – Ela riu. – Onde ele está?

– Ele não quis entrar comigo. Disse que eu e você tínhamos muito a conversar e que preferia ficar lá fora, com sua tia, Carol, Ana e Tereza.

– Que bom saber que todos vieram me dar apoio. São pessoas muito queridas. Gente de oração forte.

Gabriela tomou ar, olhou séria para Rafael e perguntou:

– Onde está José? Sabe notícias dele? Gostaria que também viesse.

– Infelizmente, a última vez que tive notícias dele foi logo que você entrou no centro cirúrgico. Preciso ligar para ele e contar que tudo correu bem. Ele continua na Itália. Quer que eu telefone agora e tente ver se ele pode vir ao Brasil?

– Não precisa. Ligue apenas para dar notícias minhas, está bem?

– Claro.

Percebendo que o marido já estava um tanto abalado por ter que enfrentar a situação com Maria de Lourdes praticamente sozinho, Gabriela decidiu não esconder seu real estado físico. Era melhor que ele ouvisse de sua própria boca, de forma serena. Ela poderia, com calma e firmeza, fazer com que ele acreditasse que se recuperaria por completo – ainda que, na verdade, ela não tivesse essa certeza.

– Tem uma coisa aqui que está me incomodando.

– O quê? – Rafael, alarmado, se empertigou.

– Calma. Nada de mais.

– Posso chamar o médico agora. Não é melhor?

– Não. Prefiro que fique aqui ao meu lado e escute. Não consigo mexer direito os braços e as pernas.

– Meu Deus!

– Não há de ser nada grave. Quando acordei do coma, não conseguia sequer formular palavras. Agora já estou conversando normalmente.

– Não conseguia falar?!

– Acho que falava, mas ninguém entendia o que eu dizia.

– Provavelmente foi efeito da anestesia. Agora, a falta de movimentos... – Os olhos dele estavam arregalados.

– Olhe para mim – ordenou ela, e Rafael obedeceu. – Vou voltar a andar normalmente. Meus movimentos serão todos como eram antes da doença. Entendeu?

Ele só teve forças para assentir sem convicção.

– Como auxílio para esse desafio, gostaria que frei Antônio me desse a unção dos enfermos. Quero também me confessar. Você faria a gentileza de pedir esse favor a ele? E diga que faço questão que ele batize e dê a unção dos enfermos para nossa filha.

– Sem minha permissão ou ciência, frei Antônio a batizou.

– Ela já foi batizada? Que bom! Peça a ele, então, que lhe ministre a unção dos enfermos o mais rápido possível – orientou Gabriela, firme.

– Ele já ministrou.

– Graças a Deus! Frei Antônio é um homem especial. Somos privilegiados de tê-lo ao nosso lado numa hora dessas. Repare, aliás, como são as coisas de Deus: quando todos pensavam que eu e Maria de Lourdes morreríamos, aqui estamos vivas!

– Sim. Já agradeci a Deus. Mas não esperava ver você sem os movimentos dos membros.

Diante do olhar triste da mulher, Rafael emendou:

– É uma alegria ter você viva. Com ou sem os movimentos. Também é uma satisfação muito grande ver o rostinho de nossa filha, ainda que apenas através do vidro da incubadora. Só gostaria que Deus me desse o milagre por inteiro. Quero ir para casa com as duas, sem preocupações.

Percebendo uma ponta de revolta nas palavras do esposo, Gabriela preferiu não tocar mais na ferida. Agora só lhe restava recuperar os movimentos para cuidar da filha e fazer seu marido feliz. Não poderia se contentar com menos.

– Tudo bem, meu amor. Deus vai fazer o milagre por completo. Vamos crer.

A pedido de Gabriela, Rafael saiu do CTI para trazer cada visita ao boxe onde ela estava. Todas as pessoas foram muito carinhosas e positivas e se instaurou um ambiente alegre. Assim, quando a enfermeira surgiu para informar que o tempo de visitas acabara, Gabriela se entristeceu. Rafael se despediu de sua mulher e lhe disse que iria para a maternidade contar à pequena Maria de Lourdes que sua mãe estava acordada e em franca recuperação. No caminho, acertaria com frei Antônio uma visita no dia seguinte, para que ela recebesse os santos sacramentos. Era o início de uma nova etapa. Por hoje, o esforço já havia sido grande.

Ao sair pelo corredor do hospital, Rafael transparecia a dor e o medo pela falta de movimentos de Gabriela. Talvez essa nova etapa em sua vida fosse mais um teste de sofrimento enviado pelo Criador.

CAPÍTULO VII

Honra

José nem registrou o momento em que começou a se sentir em casa no Santuário de São Miguel Arcanjo. Passados sete meses, seu rosto, pescoço e ombros demonstravam que passara a ser um homem mais relaxado. Seu sorriso era celebrado por todos com quem convivia. A acolhida do povo da região e, especialmente, os elogios após as missas que celebrava fizeram com que retomasse o gosto pela vocação.

Sentia que a vida estava de volta aos trilhos. Aos domingos, vinha gente das diversas cidades vizinhas ao santuário para ouvir sua homilia. As perseguições injustas sofridas no Brasil, ao que tudo indicava, não tinham reverberado na Itália. Pelo menos até aquele dia.

Logo após o almoço, Raniero chamou o amigo a um canto e lhe contou que o bispo local, dom Marcelo, havia telefonado. O motivo: queria ter uma conversa em seu gabinete com o famoso padre José. O assunto, no entanto, não lhe fora informado. Tudo o que o enorme italiano sabia a respeito era que deveria levar o brasileiro até o escritório do bispo às quatro da tarde. Imediatamente, José perdeu o sorriso. Uma onda de tensão estourou em seu peito. O que dom Marcelo iria querer com ele?

Apesar de o prior não manifestar qualquer preocupação, os antigos fantasmas, que vez ou outra ainda povoavam a mente de José, estavam de volta. Seu coração ficou descompassado, e a angústia, que havia muito não aparecia, deu as caras com toda a força. Será que dom Costa tinha telefonado para dom Marcelo com o objetivo de encurtar sua estada na Itália? Teria havido algum desdobramento ruim em seu caso? Mas o advogado explicara que José não poderia ser processado outra vez sob a mesma acusação. O que poderia ser? Logo agora, quando sua vida estava em paz...

– Não tem nada a ver com a questão da sua prisão no Brasil – o italiano tentou acalmar o sacerdote aflito.

– Será? Tenho medo de que dom Costa de alguma forma tenha interpelado o bispo local sobre o assunto.

– Claro que não – replicou Raniero, mantendo o sorriso.

– Tem certeza de que, quando o bispo lhe telefonou, não deu nenhuma pista sobre o que queria comigo? Talvez alguém do clero brasileiro tenha tentado influenciá-lo negativamente.

– Sou o prior daqui, o responsável pelos sacerdotes que trabalham e moram neste santuário, então qualquer reclamação ou outra questão relativa a um dos meus padres é dirigida a mim em primeiro lugar. Não fui comunicado de nada a seu respeito.

– Não creio que seja corriqueiro o bispo chamar padres da diocese para uma conversa particular. Nesse tempo todo em que estive morando aqui, é a primeira vez que isso acontece. – José continuava desconfiado. – Tudo estava caminhando tão bem...

– De fato, não é algo comum. Nosso bispo é um homem muito ocupado. Mas não creio que essa reunião deva tirar sua paz. Saiba que dom Marcelo tem fama de ser um homem justo. Sempre que algum fato é submetido à sua apreciação, seja ruim ou bom, ele procura obter o máximo de informações possível para formar seu juízo de valor. Não acredito que iria chamar você para algum tipo de punição.

– Fico feliz que o bispo seja um homem tão prudente.

— A esta altura, tenho certeza de que nosso bispo já tem uma opinião a seu respeito. Garanto que é boa, do contrário você já estaria de volta ao Brasil. Lembra-se da carta que recebi do Vaticano?

— É óbvio que lembro. Aquela que você só foi me mostrar dois dias depois de eu ter chegado aqui. — José tentava disfarçar a raiva.

— Não adianta ficar bravo comigo. Sabe que tudo o que faço é pensando na felicidade e no bem-estar dos meus irmãos sacerdotes. Sou o pai desta comunidade. Cuido de vocês.

— Sinceramente, poderia ter me deixado ler a carta logo na primeira noite em que pisei aqui. Fiquei sem dormir até saber do conteúdo.

— Teria ficado sem dormir de qualquer maneira. Estava uma pilha de nervos por causa do Brasil — respondeu o italiano com bom humor. — Enfim, penso que a reunião tem a ver com aquela carta.

Os pensamentos de José voltaram ao dia em que Raniero o chamou em seu gabinete para conversar.

Antes de entregar a carta a José, o prior explicou que o bispo de Bari havia se aposentado. Assim, três sacerdotes tinham sido indicados para o cargo vago. A cidade, à beira do mar Adriático, era próxima ao Santuário de São Miguel Arcanjo. Os candidatos eram José e dois padres italianos. A missiva convocava Raniero a prestar informações sobre o amigo brasileiro. O italiano esclareceu que, àquela altura, já havia respondido ao remetente, o núncio apostólico responsável pela Itália, dom Alonzo.

Após ler a carta por duas vezes, com olhar espantado, o brasileiro quebrou o silêncio:

— Será que dom Alonzo enlouqueceu?

— Vou refrescar sua memória, posso?

Percebendo que José estava muito apreensivo, Raniero decidiu ser didático.

– Siga em frente – respondeu o sacerdote sem tirar os olhos do papel.

– Você se lembra do teólogo selecionado para fazer a homilia aos bispos e padres, há alguns anos, na festa de São Pedro e São Paulo, na Basílica de São Pedro, no Vaticano? Vou lhe dar uma pista: ele era brasileiro e professor visitante da Universidade Gregoriana.

José riu sem graça e assentiu.

– Foi um dos pontos altos da minha carreira de professor. Bons tempos aqueles! Acho que todo o meu prestígio foi por água abaixo depois de responder ao inquérito policial no Brasil.

– Não diga besteira! – Raniero bufou e prosseguiu: – Tenho certeza de que se lembra do momento em que dom Alonzo o chamou para conversar, quando a cerimônia acabou. Naquela época, ele já era nosso núncio apostólico, sabia?

– Sim. Assim que dom Alonzo se aproximou, um professor, colega da universidade, me contou ao pé do ouvido quem ele era.

– Naquele dia, dom Alonzo não disse belas palavras apenas a você.

– Não entendi.

– Ele mandou um ofício para a Universidade Gregoriana tecendo-lhe os maiores elogios. Creio que também sabe dessa parte.

– Sei, sim. O reitor me chamou em seu gabinete para me dar uma cópia do documento.

– Ora, nada mais lógico do que cogitar seu nome para o bispado.

– Não faz sentido. Como ele iria saber que eu viria para a Itália em definitivo?

– Porque é amigo pessoal de dom Costa e de dom Marcelo.

A informação caiu como uma bomba.

– Você sabia disso desde sempre e nunca me contou? – questionou José, elevando a voz.

– Não sou fofoqueiro! – respondeu Raniero com seu habitual humor. – Pense bem: um excelente padre, com boa experiência em paróquia, exímio pregador e professor doutor da nossa melhor universidade. Se eu estivesse na posição do nosso núncio apostólico, teria escolhido você para o cargo.

– Não sei. Talvez eu seja um pouco jovem. Além do mais, é preciso considerar os meus problemas no Brasil.

O vozeirão do italiano ressoou pelo quarto:

– Combinamos que não falaríamos mais disso! Tenho certeza de que o núncio, da mesma forma que eu, dom Costa e dom Marcelo, está seguro de que esse assunto foi um grande mal-entendido.

José começou a rir, balançando a cabeça. Ignorando o amigo, Raniero continuou:

– O núncio é um homem muito bem informado. Ele deve ter feito exatamente como dom Marcelo: investigou a fundo seu caso e tirou as próprias conclusões. Por fim, permitiu que seu nome constasse da lista tríplice.

– Nem italiano eu sou. Não acredito que vá dar em nada.

– Tudo bem. Mas a nacionalidade não é problema no Vaticano e você sabe disso. Quantos bispos estrangeiros existem no Brasil? Você não precisa acreditar, mas nós, aqui do santuário, acreditamos e estamos torcendo. Seria mais um bispo a nos apoiar. São Miguel ficaria exultante.

– Os outros padres miguelinos já sabem da carta?

– Claro. Sempre discuto com todos os assuntos que nos dizem respeito. Se você virar bispo aqui perto, teremos mais um aliado poderoso. Todos nós queremos sua vitória.

– Sabemos que não sou qualificado para o cargo. Mas, se eu fosse nomeado bispo em qualquer lugar do mundo, apoiaria este santuário e divulgaria a devoção a São Miguel Arcanjo.

– Como é bom escutar isso! Sei que terá um longo período de adaptação aqui na nossa amada terra. Gostaria apenas que não rejeitasse a possibilidade de vir morar em Bari definitivamente. Está bem?

José ficou imóvel e em silêncio por alguns segundos. Coçou a testa e, em voz baixa, respondeu:

– Agradeço de coração seus elogios. Não vou cogitar, por ora, assumir um cargo episcopal. Quero, com urgência, me recuperar dos traumas sofridos no Brasil e voltar a ser feliz como padre e professor.

– Todos nós esperamos que essa transformação se dê o mais rápido possível em seu espírito. Para isso, estamos aqui de peito aberto. Queremos e vamos ajudá-lo. Entendeu?

∽

No dia seguinte, ao amanhecer, o rosto de José demonstrava que ele dormira pouco. Olhando-se no espelho, concluiu que não era bom se apresentar ao bispo local com aquela cara. Ligou o chuveiro e entrou na água fria. Ao sair do banho, mais alerta, escolheu seu melhor terno para vestir. Tinha a impressão de que seria um dia decisivo para sua vocação. Só não tinha um pressentimento bom em relação ao que iria se passar na residência do bispo.

Ao final da oração coletiva, os miguelinos, confiantes e sorridentes, decidiram rezar especificamente pelo encontro que José teria com dom Marcelo. O brasileiro, entretanto, não estava nada confortável. Transparecia o medo de ser devolvido ao Brasil. Raniero, por sua vez, observava tudo com um sorriso de canto de boca. Parecia sereno diante dos acontecimentos.

– Relaxe. Estamos quase lá – disse o amigo uma hora depois, manobrando o carro pelas ruas estreitas da pequena cidade.

No banco do carona, José respondeu com voz triste:

– Não consigo. Fico apreensivo, pensando que vou ser cortado do convívio de vocês.

– Você é muito pessimista!

– Não se trata disso. Já sofri muito. Não quero me iludir e sofrer mais do que deveria. Prefiro me preparar para o pior.

– Já lhe disse que dom Marcelo é um homem justo e bom. Um dos melhores bispos que temos em toda a Itália. Sujeito de oração, que ouve a voz do Espírito Santo. Não confia no que digo? – perguntou Raniero, encarando o amigo.

– Claro que confio em você. Não confio nos outros. Preste atenção na estrada!

José percebeu que Raniero não era um bom motorista.

– Não se preocupe. Não tem nenhum carro por aqui a esta hora.

– Mas fica feio um padre bater no muro de alguma casa, não é?

– Sem dúvida! – Raniero soltou uma sonora gargalhada.

Minutos depois, o veículo estacionou em frente à casa do bispo. Raniero e José desceram e, enquanto se dirigiam para tocar a campainha, uma mulher surgiu na porta.

– Entrem, por favor. Dom Marcelo os espera no andar de cima, em sua sala.

– Obrigado.

Raniero deu um olhar de apoio a José, cujas mãos tremiam discretamente. Na subida da escada, aconselhou o brasileiro:

– Respire fundo e não deixe transparecer seu medo.

– Tem razão. Vou me controlar melhor.

A sala era sóbria. Dom Marcelo estava sentado em uma poltrona de couro negro. Ao vê-los, levantou-se de imediato e os saudou alegremente. Era um homem acolhedor. No sofá à sua esquerda estavam outros dois homens. Um deles logo captou a atenção de José. Abriu um largo sorriso e caminhou com a mão estendida na direção do padre.

– Don José! Não pode imaginar minha satisfação em revê-lo. Desta vez, em condições bem melhores do que no nosso primeiro encontro, não acha?

José não podia crer no que estava vendo.

– Meu Deus! Luigi Piatti!

– Ah, vejo que não se esqueceu de mim! Fico muito contente.

– Não há como esquecer. Você foi o bom samaritano que me tirou da cadeia.

– Não tenho mérito algum. Não fiz mais do que minha obrigação de católico engajado. Aliás, aquela prisão foi altamente injusta para nós. Sem dúvida permitida por Deus para testar a nossa fé.

– Graças a Deus estamos livres. Mas como veio parar aqui? Conhece dom Marcelo?

– Somos amigos dos tempos de colégio. Estudamos juntos em Nápoles, no melhor instituto da cidade.

– Então se conhecem desde que eram meninos?

– Sim. Usávamos fraldas quando nos encontramos pela primeira vez! Todos riram bastante da resposta do italiano, que prosseguiu:

– Recentemente, quando assumiu a diocese, dom Marcelo me pediu para cuidar de sua contabilidade. Meu escritório, então, assumiu a tarefa.

– Padre Raniero, sabia que os dois se conheciam? – o bispo interrompeu a conversa, dirigindo-se ao padre gigante.

– Não fazia a menor ideia. Apenas sabia da história do contador italiano que tinha pagado um bom advogado para acabar com um processo injusto contra meu amigo – respondeu Raniero, espantado. – Com todo o respeito, quando o senhor me perguntou sobre o inquérito e a prisão de José, já sabia de tudo o que ocorrera, não é? Imagino que o Sr. Luigi já havia lhe explicado o caso.

O contador se intrometeu, corrigindo o sacerdote:

– "Sr. Luigi", não, Don Raniero. Por favor, para homens santos como os senhores, sou apenas Luigi.

– Sim, já sabia de tudo – enfim esclareceu dom Marcelo. – Por ser amigo de longa data, homem de confiança, Luigi foi minha primeira fonte de informações sobre nosso querido padre José. Ele me contou o desempenho fantástico do sacerdote junto aos demais presidiários. Fiquei encantado com a iniciativa do padre José, mesmo sofrendo tamanha pressão e injustiça.

– Que iniciativa? – Raniero não entendeu.

– De evangelizar aqueles homens por meio da parábola do filho pródigo. Ato digno de um grande sacerdote!

– Não fiz nada de importante – interveio José. – Talvez Luigi tenha exagerado um pouco...

– Claro que não. Ele me contou como os homens se acalmaram e passaram a pensar de modo diverso depois de sua pregação. Ou é mentira?

O bispo lançou um olhar severo para José.

– Sim, a história é verdadeira. Apenas gostaria de acrescentar um dado importante: eu estava apavorado. Pensei em me esconder num canto da cela, mas os presidiários deixaram claro que sabiam que eu era um sacerdote. Naquele momento, quis ser digno do meu Senhor Jesus Cristo e prestar a Ele um último serviço antes da possível condenação.

Luigi dirigiu-se a dom Marcelo:

– Já lhe disse: aquele foi um dos melhores dias da minha vida. Nunca tinha visto nada igual. Marginais perigosos se transformando em pessoas com nova perspectiva do futuro diante dos meus olhos. Assim que saí da prisão, ainda no carro, falei com nosso amigo e advogado, o Dr. Giamelli. Depois de me escutar, ele disse que teria em mãos a ordem de soltura do padre José em tempo recorde.

Percebendo que a reunião era para um círculo íntimo do bispo, Raniero perguntou educadamente:

– Dom Marcelo, gostaria que eu me retirasse? Posso voltar daqui a algumas horas para buscar o padre José.

– De jeito nenhum. Meu desejo é que fique. Dois convidados meus ainda estão para chegar. Em seguida, almoçaremos. É possível, ou tem compromissos no santuário?

– Ficarei com o maior prazer.

Assim que Raniero e José sentaram-se no sofá, dom Costa entrou, para a surpresa do brasileiro. Dom Marcelo abraçou o cardeal. Logo em seguida, Luigi cumprimentou o homem com alegria. Pelo visto, também se conheciam. José estava boquiaberto.

Raniero foi respeitoso e tratou o recém-chegado com toda a formalidade requerida. José, muito sem graça e com medo, fez o mesmo.

– Padre José. – O cardeal estendeu a mão para o outro. – Enfim, depois de tantos meses, nos encontramos. Como estão seus afazeres aqui, no monte Gargano?

– Estou muito feliz e bem adaptado, graças aos padres miguelinos.

José sabia que a pergunta era mera formalidade. O homem tinha o hábito de estar sempre bem informado a respeito dos sacerdotes sob sua responsabilidade.

– Antes que me venha com a ideia de se tornar miguelino, saiba que, além de eu ser contra, não será possível.

Ao ouvir a frase, dita no tom impositivo sempre usado pelo cardeal, José quase teve uma parada cardíaca. Ficou branco como as paredes da sala, mas não disse nenhuma palavra. Imediatamente, deu-se conta de que sua intuição sobre o péssimo dia que teria estava correta. Aquela reunião não terminaria bem para ele. Seria uma tarde de humilhações. Estavam reunidos para dizer a ele que já era hora de voltar ao Brasil. Será que, em conluio, dom Costa e dom Marcelo também o suspenderiam de suas funções sacerdotais?

Os pensamentos negativos foram interrompidos pela voz de Luigi, falando em bom português:

– Don José, conheci dom Costa em uma solenidade no Vaticano há alguns anos. Fomos apresentados por dom Marcelo. Como todos sabem, gosto muito do estilo vigoroso dele.

"Vigoroso?", pensou José, chateado. O homem parecia um tanque de guerra, esmagando todos os hierarquicamente inferiores. Não tinha nada de simpático e sempre era duríssimo com os subordinados. Sem contar que o havia abandonado aos lobos no momento em que mais precisou de apoio na vida. Mas José respondeu com educação:

– Interessante. Não me lembro de você ter me contado isso no Brasil.

– Não cabia mencionar o cardeal dentro da cela. Poderíamos ser mal interpretados pelos outros presos. Além do mais, quando o ouvi pregar, já havia tomado a decisão de colocar o Dr. Giamelli à sua disposição. Só precisava da aprovação de dom Costa.

– Aprovação? Não entendi.

José estava desorientado. Seu superior se achava a par de tudo?

– Vou lhe explicar – interveio dom Costa. – No dia seguinte ao que o visitei na prisão, encontrei-me com o Dr. Giamelli. O sempre generoso Sr. Luigi o havia enviado ao meu escritório para me comunicar que já tinham pronto um *habeas corpus* em seu favor. Conforme havíamos combinado, não seria necessário enviar o nosso advogado, Dr. Sérgio. E você teria o melhor da cidade.

– Não sabia... Por que o senhor não me disse nada?

– Porque a imprensa estava exagerando o seu caso. Além disso, seus inimigos dentro do clero me pediam sua cabeça todos os dias. Ameaçaram peticionar até mesmo ao Vaticano. Julguei que era melhor não causar alvoroço e fazer parecer que você estava abandonado, sendo punido na prisão e prestes a levar uma suspensão sacerdotal. Você não imagina a satisfação daquela gente com os acontecimentos.

Sorrindo, o cardeal parecia se divertir com a lembrança.

– Mas, quando falamos a respeito de minha vinda à Itália, o senhor pareceu furioso comigo – disse José com receio.

Dirigindo-se ao bispo italiano, dom Costa comentou, sério:

– E estava mesmo. Imagine: o meu melhor sacerdote, preparadíssimo, a grande joia da minha diocese, havia cometido uma infantilidade, pensando ser o Batman. O problema é que, sem saber, salvara um dos maiores delinquentes do Rio de Janeiro. Como um homem que se revelara prudente em todas as situações pôde errar daquele modo?

O colega apenas riu, mas José baixou a cabeça com vergonha. Realmente, havia sido uma grande estupidez.

– Além disso, aqueles padres que estavam comigo naquela manhã não simpatizavam com você – continuou dom Costa. – Eu tinha planos para resolver sua situação e não queria que desconfiassem. Você quase estragou toda a minha estratégia com a chegada inesperada ao prédio da Mitra.

– Planos? O senhor não queria me receber em seu escritório nem atendeu a dois telefonemas meus. Com todo o respeito, achei que queria distância de mim e me senti muito desamparado.

– Sabe como se chama isso? – perguntou o cardeal com voz firme.

– Falta de confiança.

Dom Costa apenas encarou José, que desviou o olhar. Depois de alguns segundos de total silêncio no recinto, acrescentou:

– Se tivesse acreditado que sou um homem leal e que queria apenas fazer o que era mais benéfico para sua vida, não teria sofrido tanto durante esse tempo.

– Por favor, mil perdões. Eu realmente estava enganado. Foi um erro grave. O senhor sempre tinha sido bom para mim. As condições em que eu estava, a pressão por que passava, provocaram a falha de julgamento. Estou muito envergonhado...

– Aprenda a investigar os fatos antes de chegar a conclusões. Não julgue as pessoas pelas aparências. A estratégia que adotei me pareceu a única que iria funcionar diante do desastre que você causou. Entendeu?

– Mais uma vez, quero deixar claro que não sabia que o homem era um traficante procurado pela polícia e lhe peço novamente desculpas aqui, na frente de todos.

– Não precisa ficar se desculpando todas as vezes em que nos encontrarmos. Percebi claramente que você tinha agido de forma inocente, pensando que todo mundo na comunidade era bom. No fundo, você foi vítima de seu bom coração. Mas a história ficou muito ruim para mim e minha diocese.

O olhar de dom Costa penetrava até a alma de José.

– Foi aí que o Sr. Luigi caiu como uma luva. Você não sabe, mas assim que ele foi solto, veio ao meu gabinete. Falou com admiração e entusiasmo de sua performance. Pediu que eu deixasse ele te ajudar. Disse que conhecia o melhor advogado criminalista do Rio de Janeiro, que iria livrá-lo da prisão muito rápido. Concordei com tudo e fiquei muito feliz.

O cardeal fez uma pausa, então continuou com sua explicação:

– Poucos dias após o nosso encontro, recebi um telefonema de dom Alonzo. Não sei se foi coincidência, mas ele disse que precisava de você em Bari. Expliquei-lhe, então, toda a situação. Ele comentou que sua atitude, colocando a própria vida em risco, só demonstrava seu amor pelo próximo. Falei que você havia estado comigo para pedir que o liberasse para morar por um tempo no Santuário de São Miguel Arcanjo. Ele riu e concluiu que, ao acatarmos sua ideia, resolveríamos dois problemas de uma só vez: o meu e o dele. Aceitei tudo imediatamente.

José estava estupefato.

– Tão logo desliguei, decidi telefonar para o Sr. Luigi. Pedi que viesse ao meu escritório, pois sabia de sua amizade com o novo bispo daqui, dom Marcelo. No mesmo dia, ele veio. Gentilmente, ligou para dom Marcelo e me passou o telefone. Conversei com dom Marcelo a seu respeito. Contei-lhe sobre o plano de dom Alonzo e me comprometi a lhe enviar uma cópia do seu inquérito policial. O Dr. Giamelli a entregou a mim e me explicou que, com o arquivamento determinado pelo magistrado competente, já não havia mais possibilidade de você virar réu. O tormento jurídico acabara.

– Quer dizer que o senhor estava a par de tudo? Mais ainda, que arquitetou, juntamente com dom Alonzo e dom Marcelo, minha estada na Itália... – José não sabia onde enfiava a cara.

– Aprenda mais uma coisa: um bispo deve estar por dentro de tudo o que acontece em sua diocese, pois ela é sua responsabilidade. Digo mais: esse é um dever para com Cristo, que é por ele representado. Deve conhecer bem seus comandados. Aliás, conheço bem meus padres. Nunca duvidei de seu caráter e sempre soube que era um grande sacerdote.

– Quero me desculpar outra vez com o senhor, por ter acreditado que havia me abandonado e não gostava de mim.

O homem ergueu a mão direita.

– Chega de tantos pedidos de desculpas!

– Estamos aqui reunidos por sua causa – interveio dom Marcelo. – Mas, antes que pense o pior, pois me parece que tem uma atitude um tanto pessimista em relação aos fatos e às pessoas, acredito que o assunto será de seu agrado.

Raniero lançou um olhar severo para o amigo.

– Espero que eu possa, um dia, lhes retribuir tanta gentileza – respondeu José, sem graça.

– Temos certeza de que vai – afirmou o bispo italiano. – Muito em breve...

Um barulho de motor de carro atravessou as janelas da sala, interrompendo a conversa. Dom Marcelo se levantou e foi olhar. O último convidado acabara de chegar.

– Muito bem, daqui a pouco já poderemos partir para o almoço. Com seu atraso peculiar, chegou nosso convidado mais solene.

José, intrigado, não conseguia imaginar quem poderia ser mais importante do que dom Costa, um cardeal.

Com um belo terno escuro, dom Alonzo entrou na sala às pressas. Esbaforido, foi logo pedindo desculpas a todos. Abraçou Luigi, dom Marcelo e dom Costa calorosamente. Todos eram só sorrisos. Pareciam ser amigos de longa data. Com um sorriso cativante, cumprimentou Raniero e parou em frente a José.

– Eis o homem! – exclamou dom Alonzo, segurando os ombros do brasileiro.

– Como vai o senhor? – cumprimentou-o José respeitosamente, sem entender do que se tratava.

– Estou muito bem. Hoje, terei o prazer de almoçar com um dos maiores teólogos que já pude ver pregar no Vaticano, sabe? Isso faz com que meu dia seja estupendo.

– Que maravilha! Quem é o homem? Vamos conhecê-lo? – quis saber José, curioso.

– Além de tudo, é humilde!

– Eu?! – José levou a mão ao peito.

– Sim. Caro padre José, refiro-me a você. Não leu o ofício que encaminhei à Universidade Gregoriana, contendo uma página inteira de elogios à sua homilia na festa de São Pedro e São Paulo?

– Claro que li. Fiquei emocionado com o que o senhor escreveu, apesar de enxergar ali alguns exageros. Com todo o respeito...

– Não diga algo assim. Fui preciso e sincero.

– Claro, senhor, não tenho dúvidas quanto à sua intenção.

– Meus queridos amigos, diante do inevitável atraso de hoje, gostaria de saber: já lhe fizeram o comunicado? Podemos abrir o vinho para celebrar ou não?

– Qual comunicado? – José estava branco feito um boneco de cera.

– O comunicado deve ser solene e realizado pela autoridade competente – respondeu dom Marcelo. – Nesse caso, você mesmo. – Ele apontou para o recém-chegado.

Todos se levantaram para ouvir dom Alonzo. Raniero sussurrou no ouvido de José:

– Você errou e eu acertei!

– Do que está falando?

Antes que Raniero esclarecesse, dom Alonzo falou com alegria:

– Temos o novo bispo da diocese de Bari: dom José!

Todos aplaudiram e dom Costa abriu o vinho. José não acreditava no que ouvia. Ficou mudo. Um pouco atordoado, olhou para cada um dos homens na sala. Parecia que estava em um sonho.

– Acho que este é o momento em que, de forma decidida, aceita o encargo, não? – indagou dom Costa, com o habitual olhar inquisidor.

– Claro. Quer dizer: é uma grande honra aceitar o convite. Nunca recebi tamanha honraria em minha vida e espero contar sempre com os conselhos dos senhores.

José havia saído do Brasil manchado pela prisão e, na Itália, alcançara a maior glória de sua caminhada sacerdotal. Deus era, sem dúvida, imprevisível!

CAPÍTULO VIII

Lutar

Do nascer do sol ao meio-dia, Gabriela ficou mergulhada em pensamentos. Analisou o quanto havia sido dura a vida. Desde muito cedo, passara por sequências variadas de sofrimentos, que deixaram marcas em seu coração. Por que precisara enfrentar tudo aquilo? Para ganhar experiência? Talvez. Para aprender? Provavelmente. Será que Deus não tinha outro método além da dor para ensinar as diretrizes do bom caminho aos seres humanos? Sua didática poderia ser mais completa. Definitivamente, Ele não era um professor criativo. Por outro lado, ela precisava admitir: esse método de ensino funcionava que era uma beleza!

Gabriela conhecia muita gente que tinha sofrido bastante por conta dos erros e das más escolhas. Ao invés de enxergarem suas falhas, todavia, prosseguiram repetindo os equívocos. No final, não mudaram sua forma de ser e não aprenderam as lições necessárias para ter paz durante a vida. Por que nosso Professor Celestial não oferecia algum remédio para lhes dar um refresco, ao invés de impor mais vezes o mesmo tipo de situação dolorosa? Assim, os maus alunos do planeta não precisariam repetir de ano.

Que espécie de aluna Gabriela era? Será que era incompetente, que não conseguia aprender a matéria ensinada? Talvez. Isso poderia explicar sua situação grave. O que o Pai Celestial queria que ela aprendesse? Cansada de tanto pensar, supôs que Deus a testava para que enfrentasse dois sentimentos recorrentes em sua vida: impotência e medo.

Se Deus, que a criara com amor e conhecia suas fraquezas, sabia que até aquele momento Gabriela não conseguira superá-los, por que puni-la? Deixá-la naquele estado era uma pena terrível. Seria bem melhor se Ele tivesse estendido a mão para auxiliá-la, livrando-a da doença, permitindo-lhe voltar para casa e cuidar da família. Gabriela se sentia bastante castigada, sem mexer as pernas, deitada naquela enorme cama hospitalar, sem poder dar de mamar à filha.

"Senhor, o que tem a dizer sobre meus pensamentos de hoje?", perguntou ao Todo-Poderoso. "Já que sua Palavra está na Bíblia, quero um trecho que se aplique a tudo o que ruminei desde o raiar do dia." Gabriela tentou esticar o braço direito para alcançar o livro na mesa de cabeceira. Ele obedeceu de primeira, mas parecia engessado.

Isso a irritou um pouco, mas, ao sentir o volume em seu peito, segurando-o com ambas as mãos, refletiu melhor. Lembrou que, nos dias iniciais, após a cirurgia, não tinha domínio de praticamente nenhuma parte do corpo. Como o Dr. Kamel falara, ela já evoluíra muito. A fisioterapia estava lhe fazendo muito bem. Havia quatro dias, os movimentos da cabeça e dos braços deram um salto qualitativo. A equipe médica e o fisioterapeuta comemoraram muito.

Pena que o ritmo da melhora não era compatível com o desejo de seu coração. Gabriela já podia sentir as pernas, conseguia mover os pés de leve e até mesmo ficar em pé por alguns instantes apoiada em um andador, mas ainda não era possível dar passos, nem com a ajuda de um enfermeiro.

Pensando na guerra que enfrentava para recuperar a habilidade de caminhar, Gabriela abriu outra vez a Bíblia e deu de cara com a seguinte passagem, de 2 Coríntios 4, 8-9: "Somos atribulados por todos os lados, mas não desanimamos; somos postos em extrema dificuldade, mas não somos vencidos por nenhum obstáculo; somos perseguidos, mas não abandonados; prostrados por terra, mas não aniquilados." As palavras de São Paulo se aplicavam, sem tirar nem pôr, àquele momento de sua vida. Mas qual seria o significado? Será que Deus estava dizendo que ela voltaria a andar? Quem poderia compreender o Criador?

Gabriela respirou fundo e pegou o copo d'água na pequena mesa acoplada à cama. Bebeu tudo de um fôlego só. "Se meus movimentos estão gradualmente retornando, por que a melhora não engloba também as minhas pernas?" Alguns minutos depois, mais calma, reconheceu que não adiantava reclamar com o Pai Eterno sobre os problemas presentes. Manter o foco na dor não iria ajudá-la em nada. Precisava encontrar soluções, e Deus estava de olho nela, avaliando sua coragem e determinação. Sem dúvida, ela precisava seguir adiante.

Durante muitos anos, Gabriela atendera os mais diversos tipos de pessoas no seu consultório. Elas vinham de diferentes lugares e classes sociais. Algumas, sem razão aparente, carregavam cruzes bem mais pesadas do que a média dos seres humanos. Por outro lado, havia os pacientes que desenvolviam doenças psíquicas devido à falsa interpretação da realidade. Viam tudo pelo lado negativo. Em qual tipo estaria ela?

Os pacientes determinados e otimistas causavam forte impressão em Gabriela. Em cada sessão, ela observava que não se desesperavam, apesar de toda a dor. Quando narravam suas histórias e apresentavam as situações terríveis por que passavam, tinham uma lucidez incrível. Justamente o que ela precisava ter naquele momento. Era hora de a psicóloga adotar o procedimento encampado pelos seus pacientes mais valentes. Não cabia ficar se lamuriando todos os dias.

Olhando ao redor, com a certeza de que estava tendo o melhor tratamento que o dinheiro podia comprar, concluiu, com certo embaraço, que não era justo comparar sua cruz com a daqueles pacientes tão maltratados pela vida. No seu caso, o problema estava no conjunto da obra: tinha várias cruzes medianas, cujo peso reunido equivalia a uma bem grande. Tinha a impressão de que Deus, no afã de conduzi-la ao Paraíso, havia exagerado na dosagem dos corretivos. Os testes que lhe aplicara em sequência, com dificuldade crescente, foram demasiados. Consequentemente, sua existência se tornara um exercício insistente de se levantar queda após queda.

Quando jovem, diante da solidão, chegou a achar que estava fadada ao fracasso em todos os seus relacionamentos. Seu casamento com Eduardo, uma paixão dos tempos da faculdade de psicologia, fracassou, dando num divórcio desagradável. Logo depois, veio a morte da mãe e a família ficou reduzida a tia Irene, pois o pai havia falecido muito tempo antes.

Tudo mudou com sua conversão ao catolicismo. Veio a esperança de que a vida poderia ser enfrentada com mais leveza e que a paz era um objetivo plausível. A convicção de que pertencia a um grupo determinado de pessoas lhe trouxe mais serenidade. Havia conquistado a alegria de ter, enfim, bons amigos. Não se livrara por completo das dores sentimentais, psíquicas e físicas, mas, na companhia das pessoas que amava e na certeza da existência de Deus, o mundo tinha cores mais vivas. O tempo em que esteve semiparalisada naquele leito, todavia, minou um pouco a felicidade adquirida com essas conquistas, especialmente sua autoconfiança. Precisava de ajuda.

No fim daquela manhã, após catorze dias de internação, Gabriela começou a se indagar se, de fato, era uma pessoa vitoriosa. Talvez esse questionamento fosse sinal de ingratidão, pois Deus lhe dera uma grande graça: sua filha, o maior presente que já recebera, tinha se livrado do hospital após dez dias na incubadora. Estava em casa, levando uma vida normal com Rafael. O marido contava com o auxílio de tia Irene e de duas enfermeiras, que se revezavam durante a semana.

～

– Gabriela, hoje não quero ouvir a pergunta de sempre – disse Kamel, ao entrar no quarto da paciente.
– Sério? Então, quando vai trazê-la aqui?
– Agora. Está preparada?

Os olhos de Gabriela se arregalaram. Finalmente, o momento mais esperado de sua vida: segurar a filha pela primeira vez. Arrastando o corpo com os braços, se pôs mais sentada na cama, aproveitando a inclinação do leito. Sua expressão indicava toda a expectativa. O médico abriu a porta. Uma enfermeira surgiu com um pequeno embrulho cor-de-rosa nos braços. Os parcos cabelos negros na cabecinha indicavam de quem ela era filha. As lágrimas vieram abundantes, fazendo Gabriela estremecer.

Sem conseguir falar por conta dos soluços, ela estendeu vigorosamente os braços, para espanto do médico. Desde que saíra do centro cirúrgico, era a primeira vez que fazia um movimento tão rápido e certeiro. A menina foi colocada em seu colo e o rosto de Gabriela se transformou; parecia uma mulher renovada. Um enorme sorriso surgiu em meio às lágrimas. O mundo desapareceu para ela. Só existia, naquele momento, Maria de Lourdes.

～

Não havia como negar que a filha tinha afetado a recuperação da mãe de forma positiva. Da cintura para cima, em tudo o que precisava usar para ter Maria de Lourdes em seus braços, havia se recuperado com rapidez. As pernas, infelizmente, ainda eram uma incógnita. Gabriela inquiria os médicos todos os dias, mas nenhum deles dava informações específicas ou conclusivas. Em geral, diziam que tudo ia bem. "Tudo dentro do esperado" era a resposta mais dada. Pareciam atores ensaiados para uma peça de teatro. Qual seria o exato significado desse tal "esperado"? Sua incapacidade de andar?

– Bom dia! Posso entrar? – Era a voz suave e alegre de frei Antônio trazendo a atenção de Gabriela ao presente.

– Que alegria revê-lo! Rafael o trouxe?

– Não. Hoje ele está na consulta com a pediatra, lembra?

– Sim! Agora me lembrei. Você trouxe a comunhão?

– Claro! – disse o frade, mostrando a maleta marrom.

Com relativa facilidade, Gabriela se apoiou nos cotovelos e arrastou o corpo mais para cima. Com o esforço, só pôde esboçar um sorriso pela metade. Qualquer atividade física ainda era cansativa. Abriu a boca e recebeu o Corpo de Cristo.

– Gostaria de estar mais presente aqui. Infelizmente, tenho estado ocupado com problemas burocráticos de minha ordem. Era para eu estar de férias, mas não consigo me omitir em certas questões. Seu marido sempre me telefona para pedir que eu venha vê-la. Eu é que me enrolo todo.

Frei Antônio colocou a cadeira quase ao lado do encosto do leito para ficar bem perto da paciente.

– Olha, os médicos não me dizem quando receberei alta. Isso está me incomodando demais. Minha família precisa muito de mim e não posso cuidar deles...

– Não me interprete mal, mas essa situação tem sido positiva para sua família.

– Positiva?! – questionou Gabriela com raiva. – Ficar num leito enquanto meu marido tem que se virar para trabalhar e cuidar sozinho do lar e de nossa filha tão pequena?

– Não vejo as coisas por esse ângulo – replicou o sacerdote com voz tranquila. – Eu me refiro à valentia de seu marido e de como ele cresceu e amadureceu por ter a obrigação de criar a filha sozinho. Rafael agora é outro homem.

Gabriela quis reagir mais uma vez com indignação, mas sabia que o padre estava certo. Decidiu, então, mudar de assunto:

– Desde o dia em que fui internada, não tenho sentido mais a presença de Deus como antes. Será que a cirurgia interferiu tanto no meu cérebro a ponto de eu perder a conexão com meu Pai Celestial? Isso é possível, na sua opinião de teólogo?

– Sinceramente, não creio. Nossa ligação com Deus se dá em planos muito profundos, como, por exemplo, na nossa alma. Mesmo que seu corpo fosse todo mutilado, o Criador continuaria aí, presente em você. Poderia sempre ter uma conexão com Ele, compreende?

Ela assentiu. O frade continuou:

– O Todo-Poderoso, posso lhe garantir, está em sua vida agora do mesmo modo que antes. Você não O sente em função do seu medo e da sua dor. Não a estou julgando, apenas constatando o que se passa. Não fique brava comigo, está bem? – Frei Antônio levantou as mãos espalmadas num gesto defensivo. – O medo e a dor formaram uma couraça que, com o passar do tempo, foi impedindo que você sentisse a luz que vem do Alto.

– Você sabe que não sou uma pessoa medrosa.

– Você está com medo de não conseguir mais andar e conduzir sua família, como costumava fazer. Estou errado?

– Está certo. – Ela suspirou e olhou para o teto branco. – Está muito difícil tirar esses pensamentos da mente. Toda vez que não consigo mexer as pernas, eles se tornam mais intensos.

– Sabe, não é vergonha nenhuma ter medo. Somos humanos. Todos nós temos medo de alguma coisa. A diferença é que alguns dominam com mais facilidade seus temores. Você é psicóloga e está ciente disso. Penso que a chave do sucesso está em dominar os temores. Não ficar paralisado.

– Concordo. Mas estou com uma dificuldade enorme de fazer isso – respondeu Gabriela, triste.

– Por que você precisa ser uma supermulher? Quem lhe impôs isso? Duvido que tenha sido Deus...

– Tenho meus próprios padrões e regras. Aliás, toda criatura humana tem os seus.

– Aprendi com você que as regras de conduta pessoal não foram feitas para nos deixar deprimidos, mas para nos auxiliar. Lembra-se das sessões em seu consultório?

– Sim. Você tinha uma relação péssima com seus dons. Pensava que eles deveriam ser altamente eficazes o tempo todo. Havia uma necessidade em corresponder ao que o povo esperava de você. Além disso, de forma contraditória, você não queria ser visto como alguém diferente. A discriminação o estava matando por dentro. Graças a Deus, percebeu seu erro a tempo e pôde corrigi-lo.

– Será que você não está incorrendo no mesmo tipo de erro? Querer se conformar às expectativas que as outras pessoas têm de você. A mulher forte e invencível. Qual é a utilidade disso?

– Regras pessoais são muito difíceis de serem rompidas. Não consigo me resignar a meu estado de saúde. Não posso deixar as coisas como estão. Deve haver uma saída!

– Mesmo depois das nossas sessões de análise, durante meus retiros espirituais, pensei muito a respeito das regras que nos impusemos no decorrer da vida – disse o frade, sem contestar o desabafo da amiga.

– Fico orgulhosa de saber que você progrediu tanto.

– Vou lhe falar um pouco a respeito da minha experiência e de como consegui me aceitar melhor. Algo que não lhe falei no consultório.

– Conheço boa parte do seu processo. Não precisa falar nada.

– Eu sei. Mas quero que esteja atualizada com relação às conclusões a que cheguei no último ano, quando não estivemos juntos.

– Tudo bem, por isso eu me interesso.

– Construímos nossas regras com base nos valores que adotamos desde a infância. Estamos tão habituados a eles que nos soam familiares e, por isso, confiáveis. As regras funcionam como boias de segurança: nos apegamos a elas para nos sentirmos protegidos.

Quebrar uma regra significa furar a boia quando estamos em águas profundas, ou seja, correr sério risco de se afogar num mar desconhecido. Nosso corpo reage com rapidez, tentando nos trazer de volta para a terra firme.

– Estou gostando. Continue, por favor.

– Assim, se as regras estão em vigor, podemos aproveitar a vida. Sentir prazer ao invés de dor. Mas se elas caem, ficamos desconcertados e desconfortáveis. A sensação de derrota e frustração começa a surgir e tomar conta. Vem, então, a depressão.

– Concordo. Todo mundo tem convicções sobre o que deve ocorrer para se sentir vitorioso, amado e feliz. Não fujo à regra!

– Precisei lutar bastante para quebrar regras que me faziam muito mal. Você é testemunha de grande parte desse processo.

– Verdade. Você se saiu muito bem.

– Acredito que todas as pessoas devam passar pelo mesmo caminho.

– O caminho da construção de regras?

– Não, da atualização. – O frade olhou sério nos olhos da paciente.

– Na sua opinião, as regras que não são atualizadas não prestam? – provocou ela.

– Não foi o que eu quis dizer.

Decidido a defender seu raciocínio, o sacerdote se recostou na cadeira, concentrado.

– Apenas vejo que as regras mais antigas precisam ser revistas de tempos em tempos. Adaptadas para a pessoa que somos naquele momento.

– Não sei...

– Imagine um atleta profissional de 20 anos. Seu corpo tem uma estrutura forte, elástica. Sua resistência é um portento. Ao se desgastar em um esforço brutal, consegue se regenerar rapidamente. Com apenas dois dias de descanso, já está pronto para enfrentar uma nova maratona de exercícios físicos exaustivos. E assim sua rotina segue.

Ele olhou com calma para a amiga, verificando se ela acompanhava seu pensamento. Os olhos de Gabriela estavam serenos e concentrados.

– Vamos supor que esse atleta se torne campeão mundial de tênis. O número 1 do ranking internacional. Ele quer, a todo custo, se manter no topo por muitos anos. Para tanto, põe sobre o corpo uma carga bastante intensa. Será que ele aguenta por muito tempo?

– Alguns, sim. Outros, infelizmente, sofrem lesões que os impedem de seguir adiante.

– Exatamente. Nesse contexto, pergunto: você conhece Roger Federer, grande tenista suíço, recordista de títulos do Grand Slam?

– Claro! É um atleta fenomenal.

– Sabia que ele detém o recorde de permanência como número 1 do mundo no ranking da Associação de Tênis Profissional?

– Não.

– Durante alguns anos, ele se manteve no topo da carreira. Foi o tenista mais velho a ocupar o número 1 do ranking da ATP.

– Nossa! Com que idade?

– Com 37 anos.

– Como ele conseguiu?

– Com inteligência – respondeu o frade, bem versado nas questões desportivas, matéria que tanto lhe agradava.

– Como assim?

– Numa entrevista, ele explicou que mudou completamente sua forma de treinar e de lidar com a carreira. Passou a não competir tanto. Tem sessões menos intensas de treinamento em determinados períodos e procura descansar mais o corpo. Enfim, ele quebrou diversas regras que carregava consigo, desde os tempos em que era bem jovem. Tinha um objetivo em mente: ser o número 1 por muitos anos. Para isso, procurou adaptar as antigas regras à sua nova realidade. Foi atualizando-as uma a uma de acordo com seus objetivos e necessidades.

– De fato, foi uma estratégia bem-sucedida.

– Agora, conversando com você, me ocorreu outro exemplo: as leis de nosso país. Já percebeu que o Congresso Nacional, muitas vezes, acaba revogando leis que não nos servem mais e criando outras mais atuais, que possam regulamentar adequadamente a sociedade?

– Tem razão – disse ela, sorrindo.

– Chegou a hora de o Congresso da mente de Gabriela fazer uma revisão geral no seu arcabouço legislativo!

– Que frase mais pomposa!

Ela riu, se divertindo. Ele a acompanhou na gargalhada.

– Parece que você assumiu o posto de psicólogo. Aliás, penso que todos os sacerdotes, por causa do aconselhamento aos fiéis, deveriam cursar, durante o seminário, uma cadeira obrigatória de psicologia.

– Nesse ponto, concordamos.

– Pelo visto você se sairia muito bem!

– Obrigado pelo elogio. Cheguei à conclusão de que as regras devem nos fortalecer. Entendi que meus valores, basicamente os que estão no Evangelho de Cristo, não precisam mudar. Mas necessito de boas regras, baseadas neles, que se encaixem no meu momento atual. Passei um bom tempo reescrevendo minhas regras e, como pode ver, melhorei muito!

– Sim, vejo que está cada vez mais confiante e tranquilo. Um Antônio confortável na própria pele.

– Eu tinha regras que, ocasionalmente, me faziam sentir bem, mas que, na grande maioria das vezes, me causavam depressão. Não me serviam mais. Tomei coragem e as joguei no lixo. Será que você não tem algumas regras relativas à supermulher que precisam ser atiradas ao fogo?

– Talvez.

– Minha sugestão é a seguinte: seu sistema de autoavaliação deve conter regras que, atualmente, sejam viáveis. Ou seja, possam ser cumpridas e se baseiem em critérios dentro do seu controle.

– Pouca coisa está sob meu controle, como pode notar.

– Exatamente. Por isso, gostaria de deixar minha sugestão: não vincule sua felicidade a agentes externos.

– Agentes externos?

– Isso. Pessoas e coisas, fatores que você não pode controlar. Entende? Foque no que você pode mudar, ou seja, o que está dentro de você mesma.

– Perfeito. Adorei o conselho. Não tenho palavras para agradecer.

– Tenho certeza de que a internação terá mais frutos positivos além do crescimento do seu marido. Como diz a Bíblia, em Eclesiástico 22, 16-17: "Casas travadas com viga de madeira não virão abaixo por ocasião de um terremoto; da mesma forma, a mente que decide após muito refletir não se deixará abalar no momento do perigo. Mente apoiada em reflexão prudente é como enfeite de estuque em muro polido."

– Talvez. Tenho muito a refletir. Preciso me adaptar aos novos tempos.

– Há outra coisa: num período de mudanças pessoais, o fundamental é saber fazer as perguntas corretas.

– Perguntas?

– Como você sabe, costumo participar de maratonas. Ainda cultivo o hábito de correr pelas ruas da cidade todos os dias pela manhã.

– Então mantém sua rotina de atleta? Que coisa boa! Como eu gostaria de voltar a nadar, para manter a forma...

– Tenho certeza de que você vai voltar a ser a atleta que sempre foi. Mas, como eu ia dizendo, gosto de competir em maratonas. Logo depois de me transferir para Portugal, com a mudança de alimentação e hábitos, engordei. Não foi nada grave, mas aquilo começou a me incomodar muito. Passei a perguntar a mim mesmo: por que não consigo emagrecer?

– Muitas pessoas se fazem esse tipo de pergunta.

– Quanto mais repetia o questionamento, mais ansioso ficava. Os resultados que obtive não foram bons. Concluí que aquela pergunta criava uma péssima imagem na minha cabeça: sou gordo! Daí, nada de conseguir perder o peso necessário para competir. Então, precisava me livrar da pressão e da imagem ruim. Se relaxasse mais, sem perder de vista meu objetivo, talvez meu corpo respondesse à altura.

– O que você fez?

– Mudei a pergunta.

– Como ela ficou?

– "O que devo fazer para chegar ao meu peso ideal?"

– Uma alternativa sutil.

– Sim. Focada no resultado positivo, e não na minha incapacidade de perder peso. Percebe a diferença?

– Claro! Muito inteligente. Ao invés de fincar seus pensamentos na inoperância, na negatividade, fez com que sua mente mantivesse o foco em coisas positivas. Você afirmava para seu cérebro, logo de cara, que era capaz de alcançar a meta. A questão dizia respeito apenas ao caminho que deveria traçar para atingir o peso desejado.

– Isso mesmo. O resultado foi excelente. Hoje, tenho o peso que desejo, ideal para minhas maratonas. Creio que você pode começar por mudar também suas perguntas. Não as faça de modo a realçar pontos negativos e supostas incapacidades. Formule perguntas que indiquem à sua mente que você pode obter a vitória. Que você está procurando o melhor caminho para chegar lá.

– Gostei do conceito: perguntas vitoriosas!

– Uma boa expressão, perguntas vitoriosas...

O sacerdote se levantou da cadeira, deu um beijo na bochecha da mulher, traçou a cruz no ar e, com a bênção, se despediu.

CAPÍTULO IX

Encontro

Diante do mundo novo que se formara à sua frente, José, o novo bispo de Bari, se pôs a questionar todos os dias como servir bem ao povo que Deus lhe tinha confiado. A primeira coisa que lhe vinha à cabeça era estar presente em sua diocese o máximo possível, para se aproximar mais do clero e de suas ovelhas.

O obstáculo que encontrava não era propriamente um problema. Recebia, todos os meses, inúmeros convites, alguns importantes, todos referentes a palestras e retiros espirituais em solo europeu. Sua posse e exercício no novo cargo já havia completado o primeiro ano, mas incomodava seu coração o conflito entre a função de professor/palestrante e a de sacerdote, chefe da igreja local. Ele precisava descobrir um modo de conciliar tudo.

Na semana anterior, Raniero, um de seus mais influentes conselheiros, dera sua opinião sobre o tema quando se encontraram em Bari para um almoço.

– Que grande bênção é ser conhecido e respeitado, não?

– Não exagere! Desde quando sou conhecido? – retrucou o brasileiro, com cara de poucos amigos.

– Você acha que os outros bispos também recebem essa quantidade enorme de convites?

– Foram só oito convites este ano – respondeu José, desanimado.

– Uma enormidade!

– Você é mesmo exagerado.

– Será? Quando o conheci, você recebia esse número de convites a cada semestre?

– Não.

– Então está se rebaixando por quê? Você é o bispo mais famoso do mar Adriático!

Raniero soltou uma gargalhada em alto volume. As pessoas que comiam nas mesas ao lado, na charmosa tasca, os examinaram com olhos minuciosos.

– Não é disso que estou falando. Não distorça a nossa conversa. – José inspirou fundo e prosseguiu: – Preciso do seu bom conselho. Quero ser visto como um bispo presente. Um homem como dom Costa.

– O quê? Quer dizer que agora o cardeal se tornou seu modelo? – Outra gargalhada bem alta ecoou pelo recinto. – Esqueceu que o homem é grosso? O povo de Deus precisa de amor e carinho...

– Não vou me espelhar no modo como ele fala com as pessoas, mas na presença que tem em cada canto da diocese. Qualquer padre do Rio de Janeiro sabe que, a qualquer momento, ele pode aparecer em sua igreja para uma conversa ou celebração da missa. Quero ter a mesma fama: presente, trabalhador e disciplinador. Administrar tudo com a maior eficiência. Preciso construir uma reputação assim.

– Sinceramente, cada um tem seu próprio jeito. Não gosto de macaco de imitação. Claro que você deve ter um paradigma, mas não pode querer copiá-lo em quase tudo. Concordo que pegue dele os pontos que te inspiram mais, desde que tempere tudo com aquilo que você é. Construa um jeito próprio de administrar a diocese de Bari. Foi para isso que dom Alonzo te colocou lá.

– Tem razão. Só não quero parecer um sujeito ausente, concentrado em espalhar a própria fama pela Europa.

– Nesse ponto, não está vendo a situação com clareza.
– Por quê?
– A sua imagem e a da sua diocese entrelaçadas para sempre! Se você é enaltecido, Bari também. Sua presença como palestrante pela Europa é ótima para o clero e o povo da região. Você vai colocar sua cidade no mapa. Sua gente vai ficar orgulhosa.
– Não sei...

Mesmo depois daquele almoço, José permaneceu em dúvida sobre o que fazer. Aceitar o maior número possível de convites, para ganhar ainda mais respeito dentro do clero europeu, era tentador. Mas isso não necessariamente traria benefícios à sua gente. Por fim, tinha outro item a considerar, favorável à posição de Raniero: quando estivesse fora, dando cursos, palestras ou retiros espirituais, não precisaria se preocupar com o andamento da diocese. Seu vigário episcopal, ou seja, o sacerdote que indicara como seu representante para assuntos administrativos, era muito competente e cuidaria de todas as coisas.

No fim do dia, com a opinião do amigo italiano martelando sua cabeça, decidiu colher mais uma. Para sua surpresa, frei Antônio adotou uma linha completamente oposta:

– Não faça isso! Dom Alonzo não o elevou ao bispado para que você angariasse mais fãs. Chegou a hora de dar um tempo à sala de aula e às pregações. O bispo é o pai de toda a comunidade católica local. Como representante do papa, não lhe cai bem ter outra atividade profissional, ainda que não remunerada. Sobretudo quando exige sua presença em outras cidades por determinados períodos de tempo. Ao assumir esses compromissos, você passa a impressão de que sua diocese está sem comando. Como justificar algo assim para o povo? – questionou frei Antônio, duro.

– Talvez seja exagerado dizer que a diocese fica sem comando quando o bispo não está... Tenho um excelente vigário, homem de confiança e de grande cultura. Sempre que saio em viagem, nos falamos mais de uma vez por dia ao telefone.

– Não é a mesma coisa. Será que os padres respeitam as ordens dele da mesma forma que as suas? Duvido.

– Minha diocese é muito tranquila. Os padres são bem disciplinados. Para você ter ideia, até hoje não tive que punir ninguém.

– Não conte com isso. Você tem pouco tempo no poder. – Com a voz mais tranquila, frei Antônio voltou a falar: – Vou lhe dar o meu exemplo. Fui convidado para ser o frade superior da ordem aqui em Portugal.

– Sim, eu soube.

– Então já sabe a razão pela qual não aceitei o cargo?

– Não. Meu vigário apenas disse que você não demonstrou interesse e preferiu seguir com sua cátedra na universidade e no seminário maior em Fátima.

– Frei Vicente lhe contou meia verdade.

– Ele é um homem muito bom. Excelente frade franciscano, como você. Não creio que invente coisas a respeito de ninguém.

– Me expressei mal. Ele não inventou nada. – Frei Antônio respirou fundo. – O que quis dizer foi que Vicente não tinha todos os dados em mãos para falar sobre a minha recusa. – O frade pigarreou antes de continuar: – Gostaria muito de ter a honra de ocupar tal cargo, mas penso que ele não é compatível com minha vida de professor. Então, para fazer bem minha função, decidi escolher uma das duas. Fiquei com meu amor pela formação dos seminaristas e pelas aulas na universidade. Acho que você precisa fazer uma escolha semelhante à minha.

Nesse contexto, dois dias depois dos diálogos com seus amigos, chegou às mãos de José um dos convites mais importantes que já havia recebido: fazer a palestra de abertura do Sínodo dos Bispos para a Juventude, um encontro mundial com cardeais, arcebispos e bispos do mundo inteiro, sob direção do papa, que iria se realizar dentro de três meses em Fátima, Portugal.

Antes de dar uma resposta ao Vaticano, José rezou bastante e meditou sobre seu conflito interno. À noite, decidiu ligar para Gabriela, para ver o que ela tinha a dizer.

– Como você está? A quantas anda sua recuperação?
– Tudo bem. Acho que sigo na mesma. – Gabriela soava desanimada.
– Quero saber detalhes. Tenho certeza de que houve alguma evolução no seu caso.
– Já vou lhe falar, mas antes quero saber de você, o bispo mais ocupado do planeta.
– Estou em dúvida sobre como devo proceder em uma questão importante. Assunto da minha diocese. – José, como sempre, foi direto. – Quero ouvir sua opinião, mas, antes, você vai me passar um boletim minucioso de sua saúde. Do contrário, desligo o telefone e ligo para Rafael – ameaçou José com bom humor.
– Não precisa recorrer ao meu marido. Posso dar informações precisas sobre mim mesma.
– Estou achando sua dicção bem melhor do que na semana passada. – José percebeu a firmeza com que a amiga falava.
– Parece que minhas palavras estão saindo com facilidade, como acontecia antes de eu sofrer com o tumor.
– Imagino que esteja feliz. Lembro que um dos seus medos, manifestado logo na primeira semana após a alta do CTI, era não conseguir falar como antes.
– Sim. Tinha muita dificuldade para pôr meus pensamentos em palavras. Percebia que algumas enfermeiras não conseguiam entender o que eu queria dizer. Era assustador. Hoje, garanto que não tenho mais essa preocupação. É um grande alívio!
– Como estão a força e a precisão das mãos? Alguma melhora?
– A pegada ainda não está no ponto que meu fisioterapeuta quer, mas a sintonia fina está voltando rapidamente. Tenho feito alguns exercícios interessantes com lápis de cor em pequenos espaços para colorir. A cada dia sinto que subo um degrau. A falta de força ainda me incomoda, mas isso não é o pior. O que tem me preocupado mesmo são as pernas. Elas não estão nada bem. – Gabriela deu um suspiro.

– Calma! Percebo que tudo está voltando ao ponto ótimo. Em mais alguns meses, vamos ver a velha Gabriela em ação!

– Está me chamando de velha? – questionou ela, bem-humorada.

– Nunca! Mas temos que reconhecer que já não somos mais garotos. – Os dois deram uma gargalhada. – Admito que, com sua aparência, o único velho aqui sou eu.

– Aí está outro ponto que me aborrece. Quero minha beleza de volta! – falou ela, séria.

– Pare de besteira! Você continua bela como sempre. Frei Antônio esteve no Brasil a visitando na semana passada, não foi?

– Sim. Foi muito agradável!

– Ele me garantiu que você está bonita.

– Antônio é um grande amigo. Sempre fala bem de mim, até mesmo quando sabe que não mereço. Ele amenizou a situação para que você não ficasse preocupado. Estou muito feia. Essa é a verdade.

– Taí algo que preciso perguntar para Rafael. Tenho certeza de que ele tem outra opinião.

– Meu marido jamais vai dizer que estou feia. Mas tenho certeza absoluta de que compara minha figura atual com a de antes do casamento.

– Não exagere.

– É verdade. Já que não consigo fazer exercícios físicos e não quero engordar, como o mínimo para sobreviver. O efeito, infelizmente, não é muito bom. Estou uma caveira. Não sei mais o que fazer...

– Será que você não pode se alimentar corretamente? Pelo menos nesse período em que está se recuperando. Procurou uma nutricionista? Você tem uma tendência a exagerar com essa coisa de estar gorda...

– Meu marido quer uma esposa bonita. Todo esforço é válido!

– Todos os maridos querem! Mas não ao custo da saúde da mulher.

– Você não entende desse assunto. É padre. Estou me esforçando do jeito que consigo.

– Não me venha com preconceitos, você é psicóloga! Acho, inclusive, que esquece que seu marido é médico e tem uma compreensão diferente do seu estado atual. Tenho certeza de que, na cabeça dele, você é a mulher mais bonita do mundo.

– Quero, sobretudo, que minhas pernas funcionem adequadamente para que eu possa voltar a correr e nadar. Será que você pode colocar essa intenção nas suas missas? Acho que você está rezando pouco por mim.

– Não diga uma coisa dessa! Eu sou o sacerdote que mais reza por você!

– Então mais força nessa oração. Já estou cansada de caminhar pelas ruas do Rio de Janeiro com andador! Me sinto um tanto humilhada. Não sou uma senhora de idade avançada para ficar assim. Além do mais, quando Maria de Lourdes corre, não consigo acompanhar. O trabalho fica todo para o Rafael ou para a babá. Isso está me entristecendo muito... Queria poder ensiná-la a nadar e a dançar, mas está muito difícil para mim.

– Em primeiro lugar, acho que sua reclamação é uma injustiça com Deus. Há pouco mais de um ano e meio, você estava em coma induzido, no CTI, entre a vida e a morte. Toda a equipe médica comemorava que você e sua filha tinham sobrevivido. Não esperavam muito de você, lembra?

– Claro que lembro, mas gosto de colocar o sarrafo mais acima.

– Não entendi.

– Fazer como os atletas olímpicos do salto com vara. Cada vez que passam o sarrafo, o colocam mais alto, para tentar bater a própria marca.

– Acho que você já detém o recorde mundial. Escapou da morte e todos os seus movimentos corporais foram recuperados. Deus lhe deu, inclusive, a bênção de ser mãe. Quantas mulheres você conhece que podem contar uma história assim?

– Sei que Deus me deu uma grande vitória, porém quero mais. Quero minha beleza de volta e minhas pernas funcionando normalmente.

– A teimosia de sempre... Como está Maria de Lourdes? – José decidiu mudar de assunto, percebendo que não conseguiria fazê-la recuar.

– Linda e esperta! Anda e, às vezes, corre pela casa. Passa feito um furacão, derrubando tudo o que encontra pela frente, antes de tomar um tombo.

– Ela tem pinta de ser ousada como a mãe.

– Acho que é mais abusada do que eu. Rafael fica todo preocupado, louco atrás dela. Procuro explicar a ele que as quedas são inevitáveis e que dificilmente ela vai se machucar.

– Imagino a satisfação dele!

– Fica admirando a pequena o tempo todo. Um pai coruja.

– Nada mais justo. Ele sofreu demais com a ameaça de perder as duas mulheres da vida dele ao mesmo tempo. Aliás, vi a foto que você me mandou. Ela está toda redondinha!

– Sim! É rechonchuda. Ao vivo é bem melhor. Espero que venha aqui nos visitar, você iria ficar encantado.

– Parece estar forte e linda. Quando tirar férias, vou aí vê-las.

– Então não virá nunca! Férias são algo que não está no seu dicionário. Ainda mais agora, como bispo de Bari.

– Tenho estado muito ocupado, de fato, mas prometo que irei ao Brasil. Bispos também têm férias, caso você não saiba. – José riu. – Aliás, como foi seu primeiro dia de trabalho? Rafael me contou que você iria voltar a atender os pacientes uma vez por semana no seu consultório.

– Não acredito que ele estragou a surpresa! Eu queria que soubesse por mim sobre meu retorno à vida profissional.

– Não brigue com seu marido por isso. Ele estava todo feliz por causa da sua grande vitória. Não fez por mal. Quando me ligou, inclusive, pediu orações para que você tivesse sucesso nessa empreitada e se sentisse bem. Pelo menos ele confia em minhas orações, sabe?

– Tudo bem. Mas não fale que não acredito na sua oração. Só disse que você reza pouco por mim.

– Pouco?! Quanta injustiça! – José riu com desdém. – Então? Como se saiu?

– Quis chegar mais cedo e organizar tudo do jeito que gosto. Escondi meu andador atrás do sofá da antessala...
– Que besteira!
– Não quero que me vejam como uma mulher debilitada.
– Não vou discutir sobre isso. Apenas quero saber se correu tudo conforme suas expectativas.
– Sim! Foi maravilhoso voltar ao trabalho. Sinto que vai me dar mais forças para me recuperar completamente. Todos os pacientes foram muito carinhosos. Ganhei até flores!
– Você não sabe a satisfação que sinto ao ouvir isso. Quem poderia imaginar que voltaria ao consultório tão rápido?
– Verdade...
Após um breve silêncio, José encaixou a questão que o vinha incomodando havia alguns dias:
– Na semana passada, recebi uma carta do Vaticano.
– Sério?! Boa ou ruim? Da última vez, até descobrir que era boa, foi um estresse.
– Um convite para proferir a palestra de abertura do Sínodo dos Bispos para a Juventude. Não sei dizer se isso é positivo.
– Meu Deus! Que honra! Tenho certeza de que, em pouco tempo, você será uma das figuras mais importantes da Igreja Católica europeia.
– Não diga isso. – José suspirou. – Justamente, este é um dos meus conflitos internos.
– Não entendi qual é o problema. É ruim se tornar um homem importante naquilo que gosta de fazer? Por favor... – A voz de Gabriela demonstrava sua impaciência.
– O negócio é saber se estou ou não abandonando meu posto, saindo muito da diocese por questões pessoais. Buscando a fama...
– Não acredito no que estou ouvindo! Você é um homem inteligente. Não é possível que acredite na besteira gigantesca que está me dizendo.
– Não sei como me portar com o novo cargo. Penso na enorme responsabilidade que é e acabo desconfiando dos meus atos. Preciso me sentir bem nas minhas funções.

– Teve gente em sua diocese criticando-o? Você está preocupado em agradar alguma autoridade eclesiástica?

– Ninguém me disse nada. É algo interno. Gostaria de ser o melhor bispo possível. Acho que meu povo merece. Mas não sei bem como agir.

– Como em toda profissão, quanto mais valorizado o profissional, mais valorizada sua corporação. Então, para sua diocese, é muito importante que você tenha destaque no mundo religioso.

– Foi o que Raniero me disse. Mas frei Antônio foi duro. Falou que não posso aceitar esses convites porque um bispo não deve se afastar o tempo todo de sua diocese.

– Olha, conheço bem as lutas interiores de Antônio. Mas, justamente porque fui sua terapeuta, não posso comentar. A opinião dele se aplica bem ao mundo em que ele vive. Não serve para você. Agora, a decisão, como sempre, é sua.

– Muito obrigado pelo conselho. Tenho duas opiniões a favor do convite e uma contra. Amanhã pela manhã dou minha resposta.

Logo que José aceitou o encargo da palestra, recebeu uma ligação de incentivo de dom Alonzo. Parecia que tinha tomado a decisão acertada. Além do mais, teria a chance de ir pela primeira vez ao Santuário de Fátima, em Portugal. Ficaria por lá uma semana. Poderia celebrar a missa em português na capelinha construída onde, originariamente, havia uma azinheira, em cuja folhagem aparecera a Virgem do Rosário aos pastorinhos. Tudo levava a crer que Deus o queria no evento.

Durante um almoço de domingo, Gabriela comentou com Irene sobre a honraria recebida por José. Imediatamente, a tia exclamou:

– Não podemos ficar de fora!

– O quê?

– Vamos todos a Portugal. Aproveitamos o evento e rezamos pela sua recuperação. Todo mundo diz que Fátima é um lugar de milagres.

– Mas Maria de Lourdes é muito pequena e Rafael tem que trabalhar.

– Espera aí! Eu posso ir, sim – interveio Rafael, levantando-se do chão, onde brincava com a filha. – Durante uma semana? Tranquilo para mim. Para a Lourdinha também. Será uma viagem em família.

– Teresa e Ana, nossas amigas e companheiras de peregrinação, estiveram lá recentemente – comentou Irene. – Falaram maravilhas do lugar.

– O que disseram? – quis saber Gabriela.

– Ana contou que estiveram numa sala de adorações onde há um ostensório com uma hóstia redonda gigante, parecendo um sol. Fica exposto 24 horas.

– Nossa! Onde será isso?

– Quando estive lá, só entrei na basílica e participei do terço na capelinha onde Nossa Senhora apareceu. Elas falaram que o Santíssimo fica em uma construção moderna, no lado oposto àquele onde está a antiga basílica. Chama-se Basílica da Santíssima Trindade. Lá estão as salas de adoração – falou Irene sem respirar. – Teresa disse que, dentro da sala onde adorou ao Senhor, não havia ninguém e que o revestimento acústico impedia que qualquer som chegasse aos seus ouvidos.

– Ideal para uma adoração, né? – comentou Rafael.

– Imagino que seja o paraíso! – exclamou Gabriela.

– Mas não é só – continuou Irene.

– Tem mais? – perguntou Rafael.

– Elas contaram que o lugar mais bonito e espiritualmente mais forte foi o bosque de Valinhos.

– Um bosque? – estranhou Rafael.

– Por que esse bosque é tão especial? – indagou Gabriela.

– É o local das estações da via-sacra. Elas foram rezar por lá e ficaram encantadas. Foi nesse lugar que a Virgem Maria apareceu aos três pastorinhos, Francisco, Jacinta e Lúcia, em 13 de julho de 1917. Ela lhes ensinou a jaculatória que usamos durante o terço: "Ó meu Jesus, perdoai-nos, livrai-nos do fogo do inferno, levai as almas todas para o Céu, principalmente aquelas que mais precisarem."

– Um lugar santo! – exclamou Rafael.

– E de muitos milagres – completou Irene.

– Preciso ver com meus próprios olhos, ou melhor, sentir com todo o meu ser. – Gabriela se empolgou com a explicação. – Quem sabe posso encontrar a cura completa para meu problema?

– Também acho – concordou Irene. – Então, o que acham da minha sugestão? Vamos todos visitar dóm José e frei Antônio em Fátima. Que tal?

– Preciso voltar a ser quem era antes da doença – respondeu Gabriela. – Se esse lugar é tão poderoso quanto dizem, quero checar.

– Que maravilha! Então está decidido: vamos ao Sínodo dos Bispos para a Juventude. Passaremos uma semana em Fátima. Gabriela, ligue para José e Antônio e avise que estamos chegando – determinou Irene antes que Rafael pudesse dizer qualquer coisa.

Poucos meses depois, a família chegou ao aeroporto de Lisboa. José os esperava na área de desembarque. Rafael puxava duas pesadas malas de rodinhas. Irene pilotava o carrinho onde estava adormecida Maria de Lourdes. Em passos lentos, ao lado de sua tia, vinha Gabriela, sorridente.

– Que alegria revê-los tão bem! – saudou-os José com um sorriso de orelha a orelha.

– José! Estou me sentindo muito importante. Um bispo veio me buscar no aeroporto para me levar a Fátima. Que honra! – brincou Rafael, dando um abraço no amigo.

– Cá entre nós, estou achando Gabriela ótima. Vejo que ela está caminhando sem bengala ou qualquer outro suporte. Estou surpreso – comentou o bispo em voz baixa, aproveitando que as mulheres ainda estavam a alguns metros de distância.

– Sim, mas está se apoiando um tanto na perna direita. O lado esquerdo parece mais debilitado. Dê uma olhada discreta. Acho que ainda não pode abusar muito, mas não diga nada a ela, por favor. Sabe como é o temperamento.

– Claro! Deixe comigo, conheço bem Gabriela.

– Só assim para nos vermos, né? – disse Gabriela, se aproximando.
– Você ficou muito importante depois que virou bispo.
– Posso até ter alguma importância, mas nada comparada à sua. A prova está aqui. Vim pessoalmente buscá-la.

Os dois se abraçaram com alegria.

– Onde está Antônio? – quis saber ela.
– Ele não pôde vir. Está esperando por vocês para almoçarmos juntos no seminário onde é professor.
– José, quando será sua palestra? Ouvi dizer que o papa estará presente. Podemos conseguir um lugarzinho no auditório? – perguntou Irene.
– Claro. Deixei os convites no carro; faço questão que estejam todos comigo. Como meus pais não quiseram vir, vocês são a minha família. A palestra de abertura do sínodo é na sexta-feira. Preciso do apoio de vocês.

Todos vibraram com a notícia.

O grupo partiu em direção a Fátima; as mulheres iam no banco de trás e Rafael, de copiloto. Antes do destino, fizeram uma parada em Santarém. Uma surpresa preparada por José.

– Fiz questão de trazê-los aqui. Esta cidade tem uma relíquia maravilhosa. Sabem do que se trata?
– Não faço a menor ideia – respondeu Gabriela, olhando para Irene, que balançou a cabeça, sem saber.
– E você, Rafael? Não tem nenhum palpite sobre o que quero mostrar?
– Sinceramente, não. Mas pouco importa. Tenho certeza de que será algo valioso. Estou curioso para ver o que é – disse Rafael em voz baixa para não agitar muito Maria de Lourdes.
– Muito bem. Venham comigo – convidou José.

Uma bela igreja surgiu à frente do grupo. Como caminhavam devagar, por conta de Gabriela e do carrinho de onde Maria de Lourdes observava tudo com seus olhos negros, José aproveitou para explicar:

– Essa é a Igreja do Santíssimo Milagre. Recebeu esse nome por acolher um milagre eucarístico.

– Sério? Como aquele de Lanciano, na Itália? – indagou Irene.

– Isso mesmo.

– Meu Deus! Que maravilha!

Irene, de forma descuidada, já estava acelerando o passo, quando sentiu o peso da sobrinha travar seu braço esquerdo.

– Tia, mais devagar, por favor!

– Desculpe. Por um minuto, me concentrei em Jesus e esqueci que não posso impor meu ritmo.

– Como aconteceu o milagre daqui? – perguntou Rafael.

– Uma história muito interessante. – O bispo pigarreou e prosseguiu: – Em 16 de fevereiro de 1266, aqui em Santarém, uma mulher cujo marido era infiel procurou os serviços de uma feiticeira, buscando salvar o casamento. Sob pretexto de resolver a situação amorosa dela, a bruxa ordenou que fosse à igreja local e roubasse uma hóstia consagrada. Deveria lhe trazer o Corpo e Sangue do Senhor, para que preparasse uma poção mágica com o objetivo de restaurar o amor que seu marido lhe tinha. A mulher sabia que o ato era um terrível sacrilégio, mas, diante da possibilidade de ser amada novamente pelo marido, foi à igreja de Santo Estêvão e recebeu a comunhão na boca. Virando as costas para o sacerdote, cuspiu-a em um lenço de linho e logo se dirigiu à casa da feiticeira. A hóstia, então, começou a sangrar, e manchas de sangue se estamparam em sua roupa. As pessoas na rua pensaram que ela estava com algum problema de saúde e chamaram sua atenção. Apavorada, ela decidiu levar a hóstia para sua casa. Chegando lá, envolveu-a num lenço limpo e a colocou num baú em seu quarto. Durante a noite, ela e o marido foram acordados por uma radiação luminosa que vinha do baú. Quando ergueram os olhos, viram dois anjos. Eles abriram o baú, retiraram Jesus eucarístico de lá e O colocaram na frente do casal, sobre o lenço limpo. O casal passou a noite rezando e pedindo perdão ao Senhor. Na manhã seguinte, algumas pessoas na rua perceberam o brilho estranho que vinha da casa da mulher. Pediram para entrar e, quando se depararam com o milagre, ficaram impressionadas. O marido resolveu informar ao padre sobre o acontecido. O sacerdote, então, foi buscar a hóstia e a levou para sua igreja, onde depositou num relicário. Ela continuou sangrando por mais três dias.

– Que história magnífica! Mal posso esperar para ver a hóstia – disse Irene. – Queria também ir à tal igreja de Santo Estêvão.

– Você entrará nela agora – explicou José. – A igreja de Santo Estêvão, hoje, é conhecida como Igreja do Santíssimo Milagre.

– Que alegria! – exclamou Gabriela.

Ao entrar na igreja, Rafael retirou a filha do carrinho para carregá-la nos braços. O restante do grupo se ajoelhou em frente ao milagre eucarístico. Emocionados, guardaram silêncio por alguns minutos. Gabriela, então, pediu a José:

– Faça, por favor, uma oração de cura para todos nós.

Lembrando-se das belas orações de Haskel, das quais tantas vezes participara no Santuário de São Miguel Arcanjo, o bispo levantou-se e impôs as mãos sobre o grupo. Respirou fundo, fechou os olhos e disse:

– Senhor, meu Deus, estamos na presença viva de seu Filho amado. Queremos pedir que seu sangue, que agora contemplamos nesse milagre eucarístico, venha sobre cada um de nós. Toque todas as áreas de nossas vidas, especialmente nossa saúde mental, sentimental, espiritual e física. Que sua cura poderosa se faça agora entre nós. Pedimos tudo isso em nome de Jesus, pela intercessão da Virgem Maria. Pai nosso...

Depois de vinte minutos de oração, o grupo foi interrompido pelo choro estridente de Maria de Lourdes. Ela estava com fome. Todos entenderam que era hora de partir. Chegaram a Fátima com tranquilidade. Frei Antônio passaria no hotel para levá-los ao seminário. José não poderia almoçar com o grupo, pois tinha compromisso com outros bispos que estavam na cidade para o sínodo.

O almoço com o grupo de seminaristas, alunos de frei Antônio, foi interessante. Antes de comer, todos se dirigiram à capela. Sob o comando do frade franciscano, fizeram uma oração especial de cura para Gabriela. Um dos rapazes sugeriu que, à tarde, o professor levasse os amigos brasileiros ao bosque de Valinhos para fazer a via-sacra.

– Sim, Antônio! Estamos querendo muito. – Irene acolheu a ideia de imediato.

– Será que Gabriela consegue ficar em pé por tanto tempo? – questionou o frade. – Além do mais, a caminhada até lá é de aproximadamente um quilômetro...

– Estou muito bem e posso andar sem problemas – contestou Gabriela, sorridente.

– Não. Vou colocar Irene, Gabriela e Maria de Lourdes em um táxi – decidiu Rafael. – Elas descem no início da via-sacra, onde existe uma rotunda com as imagens dos pastorinhos. Eu e José vamos caminhando com Antônio. Talvez possamos fazer uma versão reduzida da via-sacra. O que acha? – perguntou Rafael ao frade.

– Sinceramente, penso que devem fazer a via-sacra por inteiro. Os benefícios espirituais serão gigantescos.

– Estamos precisando muito! – exclamou Irene.

– Se estão necessitados de uma intervenção divina forte na vida de vocês, lá é o local ideal. O papa João Paulo II afirmou que Fátima é o "Altar do Mundo".

– O papa se referiu também ao famoso bosque? – quis saber Rafael.

– Ele conhecia muito bem a história de Fátima. Até porque a irmã Lúcia, que viu Nossa Senhora do Rosário quando criança, era uma de suas conselheiras.

– Não sabia.

– Há outros pontos muito importantes a considerar sobre a região do bosque de Valinhos. Dentro dele está a Loca do Cabeço. Lá, na primavera de 1916, o Anjo de Portugal apareceu aos pastorinhos pela primeira vez. Quando estivermos fazendo a via-sacra, vamos passar no local exato. Vocês verão que há uma imagem em tamanho real do anjo e das três crianças.

– Que coisa bela! Será a oportunidade perfeita para rezarmos e pedirmos o auxílio dos nossos anjos da guarda – falou Gabriela.

– O anjo apareceu aos meninos também no verão do mesmo ano, no Poço do Arneiro, que ficava no fundo da casa de Lúcia. Quando terminarmos a via-sacra, vou levar vocês até lá. – Vendo as expressões satisfeitas dos amigos, Antônio abriu um sorriso acolhedor e prosseguiu: – Na região do bosque, ao final de setembro ou início de outubro daquele ano, houve outra aparição do anjo, tão famosa que deu origem a algumas imagens que estão à venda aqui na cidade. A irmã Lúcia descreve a cena em suas *Memórias*: ele segurava uma hóstia, que pingava sangue num cálice.

– Nossa! Deve ter sido impactante – observou Irene.

– Por tudo isso, gosto de chamar o lugar de "bosque dos anjos". Eu próprio, quando tenho tempo livre, vou até lá fazer minhas orações. É um local muito ungido, de silêncio, onde tenho a companhia de anjos de diversas hierarquias. Posso lhes garantir que minha vida mudou desde que passei a frequentar o lugar.

– Preciso que me leve em todos esses pontos do bosque – pediu Gabriela. – Tenho fé de que Deus pode me curar por completo se eu pisar nesse solo santo.

– Houve também um milagre do sol aqui em Fátima, não? – quis saber Rafael.

– Sim, no dia 13 de outubro de 1917, no espaço em que está construído o santuário, chamado de Cova da Iria. Tudo se deu após uma chuva torrencial. As nuvens se dissiparam e o sol apareceu no céu como um disco opaco, girando sem parar. Emanava luzes multicoloridas, que se refletiam na natureza, nas pessoas e também nas nuvens. Em determinado momento, começou a dançar no céu sobre as cabeças das pessoas. A terra e as roupas dos que lá estavam, antes molhadas pela chuva, secaram rapidamente. Alguns doentes, dentre eles paralíticos e cegos, ficaram curados de forma inexplicável. O milagre do sol, segundo relatos, durou dez minutos.

– É realmente fantástico! – exclamou Rafael, rindo.

– Para nós que cremos, este lugar é um pedaço do Paraíso. Então, estamos combinados: vamos ao bosque de Valinhos orar pela vida de vocês.

Todos estavam felizes com o convite de Antônio.

Algum tempo depois, Gabriela, Irene e Maria de Lourdes desceram do táxi em uma rotunda ornamentada pelas imagens gigantes dos três pastorinhos. Rafael, Antônio e José esperavam por elas em pé, na entrada de um corredor de pedras, cujas paredes eram feitas pela vegetação do local.

– Se não tivesse ouvido seu relato, diria que estamos no lugar errado. Só tem mato por aí! Será que é aqui mesmo que faremos nossas orações? – gritou Gabriela para o franciscano, caminhando com muita dificuldade.

– Só pode ser – falou Irene, com Maria de Lourdes nos braços. – Os anjos gostam muito da natureza. Faz sentido começarmos nossa reza por aqui. Até nosso bispo veio. Você acha que ele perderia tempo se não fôssemos ter uma tarde especial?

– José não é homem que perde tempo com coisas sem importância. Tudo em sua vida é feito com algum objetivo bem delineado. Tem razão, esta tarde promete.

– Muito bem. Agora que estamos todos prontos, podemos iniciar nossa via-sacra? – perguntou Antônio.

– Sim. Estamos ansiosos – respondeu Gabriela.

O grupo começou a andar vagarosamente enquanto o frade fazia a oração introdutória. Pararam em frente à construção da primeira estação. O silêncio era absoluto, permeado pelos ruídos das aves e dos esquilos que passavam por eles. A brisa era leve e a temperatura, agradável. Não havia nuvens no céu e o sol estava em rota de descida.

Durante cada estação, frei Antônio foi revelando os nomes dos anjos da guarda de cada um dos seus amigos, causando forte comoção no grupo. A pequena Lourdes, que durante todo o tempo permaneceu acordada, estava feliz no meio da natureza. Seus olhinhos negros pareciam observar atentamente a presença de criaturas imateriais. Dom José estava compenetrado e, na maior parte do tempo, mantinha os olhos fechados com um sorriso de prazer desenhado nos lábios.

Após a nona estação, o grupo se dirigiu à Loca do Cabeço. Todos ficaram em pé ao redor da imagem do Anjo de Portugal e dos pastorinhos. Antônio fez a invocação dos nove coros angélicos. Ao final, solicitou a José que executasse o exorcismo breve de São Miguel e que pedisse, em nome de todos, a proteção do general da milícia celeste para suas vidas.

– Meu irmão, ninguém é mais santo e preparado do que você para uma oração assim. Gostaria que o arcanjo ouvisse sua voz.

– De jeito nenhum. Temos a honra de estarmos acompanhados de um bispo. Nada mais justo que a autoridade eclesiástica faça as honras, homenageando o poderoso arcanjo. Além disso, tenho certeza de que São Miguel lhe tem em mais alta estima. Afinal de contas, você viveu na casa dele por vários meses.

Convencido pelo argumento, José inspirou fundo e olhou para o céu. Antes que pudesse falar, percebeu que o sol perdeu seu brilho.

– Não é possível! Há algo de errado aqui.

Sem tirar os olhos do firmamento, José pousou a mão no ombro de Rafael.

– O que foi? – Irene imediatamente olhou para cima, procurando ver o que estava acontecendo.

– Ah! O sol vai começar sua dança – disse Antônio com satisfação. – Vocês poderão testemunhar o que já vi diversas vezes neste lugar.

O grupo presenciou o sol perder sua luminosidade, virando uma bola amarela no céu. A seguir, formou-se uma aliança dourada ao seu redor. Para espanto de todos, o sol e a aliança de ouro começaram a passear pelo céu azul.

Para Gabriela, aquele acontecimento incrível era um sinal de Deus. Sua esperança estava renovada. Agora, tinha certeza de que sua cura total era possível. Aquela aliança só podia significar a união eterna do Pai Celestial com o grupo. Ali estava a prova de que Jesus a amava e não a abandonaria nunca. Seus pensamentos foram interrompidos por Antônio que, com uma pequena Bíblia na mão, recitou Mateus 28, 20:

– "Eis que eu estarei com vocês todos os dias, até o fim do mundo."

Ao ouvir as últimas palavras de Jesus, uma bela promessa contida no Evangelho, Rafael se emocionou e deu um longo beijo em Gabriela. Aquele sinal fabuloso no céu parecia mesmo demonstrar a presença do Senhor em suas vidas. A leitura do sacerdote se encaixava com perfeição ao momento. Apesar de tantas dificuldades, estavam todos de pé, vivos e bem. O pior havia passado. Tudo indicava que a recuperação completa de sua esposa era apenas questão de tempo. Finalmente, sua família estava vivendo um novo tempo. A paz.

*Saiba mais sobre os seres angélicos
em outro livro de Pedro Siqueira:*

Leia um trecho de

TODO MUNDO TEM UM ANJO DA GUARDA

Aonde quer que eu vá dirigir grupos de oração, os fiéis me perguntam se têm um anjo protetor. Minha resposta é sempre a mesma: todo mundo tem um anjo da guarda! Desde a concepção, Deus designa a todos um ser angélico para acompanhá-los em sua jornada neste mundo.

Acredito que alguns leitores estejam se perguntando como posso ter tanta certeza disso. Minha crença vem da experiência pessoal. Há 45 anos, desde que nasci, convivo com os anjos e, em especial, com meu anjo da guarda, I.

Não tenho um anjo da guarda só porque sou católico ou porque sou batizado. Aliás, ter um anjo protetor não decorre de qualquer religião. Trata-se, simplesmente, de um presente de Deus para toda a raça humana. Há pessoas que alimentam tal relação de amizade por toda a vida, mas existem as que ignoram ou não creem na presença do anjo custódio.

O fato de gozar ou não de sua companhia também não está na formação do ser humano no ventre da mãe nem no tipo de parto, mas na forma como ele é criado e cresce, assumindo seu lugar no ambiente terreno, com suas crenças e convicções.

Nas diversas cidades por onde passo em função do meu ministério de oração, tenho visto anjos da guarda ao lado de católicos, judeus, budistas, kardecistas, umbandistas, evangélicos, hinduístas e muçulmanos – perdão se cometo a gafe de não citar outras religiões ou crenças espirituais. Por vezes, vejo-os também perto de pessoas que dizem não ter religião, mas acreditam em Deus. Todos dedicam parte de seu tempo ao cultivo da amizade com seu anjo protetor.

Louvável é a certeza que os fiéis têm sobre a existência dos anjos da guarda. Sem nunca tê-los enxergado, afirmam sua presença em nosso mundo e em suas vidas de forma convicta. Cumprem, assim, a palavra de Deus: "Felizes os que acreditaram sem ter visto" (João 20, 29). Aos olhos do Criador, essa atitude tem um valor muito superior ao de qualquer dom de visão espiritual.

Volto a repetir a premissa básica deste livro: todos nós temos um anjo da guarda desde o momento da nossa concepção. Para embasar outra vez essa afirmação, relembro a experiência mística que tive no fim de 2010, no Santuário de Aparecida do Norte.

Dentro daquele lugar santo, um arcanjo de túnica violeta informou a mim e minha esposa que iríamos ter um filho. Ele se apresentou como o anjo da guarda do menino que estava no ventre materno. Até aquele momento, não sabíamos que minha esposa estava grávida. O fato foi confirmado no dia seguinte, com um teste de farmácia. O sexo do bebê (masculino), todavia, só foi constatado meses mais tarde, através de uma ultrassonografia.

Além da importância que a intimidade com o anjo da guarda tem na vida espiritual, outro fator relevante me motivou a escrever esta obra: a confusão que certas pessoas fazem entre os seres angélicos e os espíritos humanos de grande pureza, caridade e amor.

Alguns kardecistas que frequentam meus terços me disseram que os anjos, na realidade, seriam espíritos humanos de luz, que teriam evoluído e atingido um nível de excelência espiritual. Discordo, com o devido respeito, de tal posicionamento.

Os seres angélicos não se confundem com qualquer alma humana. Tenho contato com almas configuradas a Cristo, como São Francisco de Assis, Santa Rita de Cássia, Santo Padre Pio e São Jerônimo – só para citar alguns nomes. Em nada se parecem com os anjos. Não têm as mesmas funções nem os mesmos poderes ou a mesma aparência.

Para completar, em determinadas tardes de autógrafos, algumas pessoas de diversas religiões já se aproximaram de mim para afirmar que anjos não passam de ficção.

Segundo os descrentes, tais criaturas não existiriam porque Deus não precisaria de nenhum tipo de ajuda para cuidar de nós ou da Terra. Na opinião deles, por ser onipotente, o Pai Celestial não necessitaria de nada nem de ninguém para realizar seus planos.

Esse argumento não é bom. Deus de fato é onipotente; essa verdade é indiscutível. Mas isso não significa que não queira se valer das criaturas para dar nova forma à sua obra.

O Criador não precisa, por exemplo, de nossos pais ou mães para nos colocar no mundo. Por que, então, você tem pai e mãe? Na verdade, o Senhor do Universo não precisa sequer de nossa presença no mundo. Mas você existe, não é? Por que Ele decidiu fazer tudo isso?

Um dos principais documentos da Igreja Católica, que tira milhares de dúvidas, é o Catecismo. Trata-se de um compêndio do conhecimento da fé acumulado por mais de dois mil anos de história, com formulação precisa e reconhecida pelo Vaticano. Pois bem, no número 295 do livro, vemos uma boa resposta para as perguntas acima: "O mundo procede da vontade livre de Deus, que quis fazer as criaturas participarem de seu ser, de sua sabedoria e de sua bondade." Os anjos e os seres humanos existem, então, por ato de amor do Criador, que deseja nossa colaboração em sua obra, para sua glória e felicidade.

Além disso, Deus quis que os anjos firmassem um vínculo de amizade conosco. O Pai Celestial se alegra muito em ver que seus filhos e as criaturas angélicas convivem em harmonia e paz. Portanto, em sua imensa bondade, decidiu designar um ser angélico para auxiliar e defender cada ser humano, cumprindo a vontade do Todo-Poderoso. Quanta obediência e amor têm essas criaturas especiais!

Durante todos esses anos, observei que cada anjo só guarda uma pessoa. Note bem que situação interessante: você tem um anjo da guarda, dado por Deus, e ele é só seu! Enquanto você estiver vivo aqui na Terra, o ser angélico será seu protetor exclusivo. Se vocês tiverem intimidade suficiente, no dia de sua morte ele o levará pessoalmente à morada celeste.

I., por exemplo, é meu guardião e de mais ninguém! Posso, algumas vezes, lhe pedir que auxilie e proteja outra pessoa e, em dado momento, ele irá obedecer. Trata-se de algo excepcional, pois não é essa sua tarefa originária.

Certa vez, na cidade de São Paulo, diante de um grupo de oração, uma mulher se pronunciou:

– Pedro, não é possível! Somos muitos aqui na Terra. Se cada um tivesse o próprio anjo da guarda, eles seriam em tão grande número quanto nós! Pode imaginar? A Terra, que já está com excesso de gente, ganharia mais um montão de criaturas. Como poderíamos conviver em paz?

– Em primeiro lugar, note que os anjos não são criaturas corpóreas como nós. Assim, não ocupam o espaço que nós ocupamos. Não seria necessário procurar lugar para todo mundo se acomodar!

– Tudo bem. Mas, ainda assim, se existem tantos anjos, imagino que uma pessoa com seus dons não tenha paz. Deve ver anjos passando por todo lado o tempo inteiro! – insistiu ela.

– Também não funciona dessa forma.

– Como não? Você não vê os anjos?

– Sim, mas a senhora está fazendo confusão. Veja bem, a pessoa que tem a capacidade de ver o mundo espiritual se assemelha a uma antena de televisão. Preciso sintonizar um canal. Não tenho a capacidade de ver tudo o que acontece por lá ao mesmo tempo. Não conheço, aliás, ninguém que o faça, pois são muitas dimensões. Além disso, essas visões dependem da permissão de Deus.

– Então, Pedro, durante o terço, há muito mais anjos do que você está vendo?

– Sim. Na realidade, eles são bem mais numerosos do que nós, humanos!

Tal verdade pode ser depreendida das passagens de Daniel 7, 10 ("Milhares e milhares o serviam e milhões estavam às suas ordens") e de Apocalipse 5, 11 ("uma multidão de anjos (...) Eram milhões e milhões e milhares de milhares").

A explicação, porém, aguçou sua curiosidade e, imediatamente, fez surgir uma avalanche de perguntas:

– Pedro, se é assim, por que muita gente não consegue ver, ouvir ou sentir o próprio anjo da guarda? Todo mundo pode se comunicar de alguma forma com ele?

– Calma, senhora. Para responder a tantas indagações, seria preciso escrever um livro! Não temos tempo, hoje, para um debate tão profundo. Preciso pegar o avião de volta para o Rio de Janeiro.

– Muita gente tem essas dúvidas, Pedro. Escreva logo o livro!

Ela estava coberta de razão: o tema realmente é de suma importância e merece um livro.

Outra questão interessante que me colocaram durante as tardes de autógrafos foi: um católico é obrigado a acreditar na existência dos anjos? Para a Igreja Católica, a existência dos seres angélicos é uma verdade de fé. O que isso significa?

As verdades de fé não são dogmas, mas constituem objeto de crença e reverência por parte do povo católico. Com o decorrer dos anos, podem sofrer algum desenvolvimento doutrinal e, se necessário, ser declaradas dogmas.

O Catecismo da Igreja Católica, em seu número 328, explica: "A existência dos seres espirituais, não corporais, que a Sagrada Escritura chama habitualmente de anjos, é uma verdade de fé."

Quando o papa faz uma declaração formal e solene sobre uma verdade de fé, ela se torna dogma. Ao ganhar tal qualificação, ela é tida como imutável e considerada infalível para o povo católico, não podendo mais ser questionada.

Confirmamos a existência dos anjos pela própria oração do Credo: "Creio em um só Deus, Pai Todo-Poderoso, Criador do céu e da terra e de todas as coisas visíveis e invisíveis." Os anjos se encaixam, é claro, no âmbito do mundo invisível. Então, para a Igreja Católica, a existência dos seres angélicos é uma verdade de fé, portanto admite aprofundamentos, debates e explicações.

Conforme está escrito no número 329 do Catecismo, Santo Agostinho ensina que "anjo (mensageiro) é designação de encargo, não de natureza". O que isso quer dizer? Ele explica que o nome "anjo" traduz aquilo que a criatura *faz* (ou seja, ser mensageiro de Deus), e não aquilo que ela é. De qualquer modo, nos habituamos a chamá-las de anjos.

Nos números 330 a 335, o Catecismo deixa claro que os anjos são seres dotados de inteligência e vontade, além de imortais, que superam em perfeição todas as criaturas visíveis. Como nós, têm sua individualidade, suas características típicas, não se confundindo uns com os outros. No entanto, eles não nos superam em dignidade. Por quê?

Em Hebreus 1, 3-4, São Paulo nos fala sobre Jesus do seguinte modo: "O Filho é a irradiação da sua glória e nele Deus se expressou tal como é em si mesmo. O Filho, por sua palavra poderosa, é aquele que mantém o universo. Depois de realizar a purificação dos pecados, sentou-se à direita da Majestade de Deus nas alturas. Ele está acima dos anjos, da mesma forma que herdou um nome muito superior ao deles."

Deus se fez homem em Jesus Cristo. Não se fez anjo. A Ele, nosso Salvador, os anjos prestam seu serviço, com amor, honra e adoração. Em virtude dos méritos de Cristo, sua mãe, a Virgem Maria (um ser humano como nós), ganhou o título de Rainha dos Anjos. Os anjos a cercam e lhe obedecem, em grande veneração.

Sobre o anjo da guarda especificamente, o Catecismo, no número 336, afirma que, desde a infância até a morte, a vida humana é cercada pela proteção e intercessão desses seres angélicos. Vou além, frisando: nós, humanos, somos protegidos desde nossa concepção e, como já falei, somos levados por eles à morada celestial quando falecemos, se firmamos vínculos de amizade com nossos guardiões.

Apesar de as informações do Catecismo serem muito interessantes (sem contar todo o embasamento do Magistério da Igreja), a curiosidade do povo exige muito mais. Perdi a conta de quantas pessoas me perguntaram a respeito dos poderes dos anjos, de seus nomes, de sua aparência, humor, modo de comunicação e afazeres junto a nós e ao Pai Celestial.

Neste livro, procuro enfrentar tais aspectos sob o prisma de minha experiência pessoal, do contato que travei com essas criaturas maravilhosas ao longo de minha existência. A intenção não é só matar a curiosidade dos outros sobre os guardiões angélicos. Acima de tudo, quero demonstrar sua importância para nós, incentivando os leitores a conviver com eles a partir da narrativa de minha vivência e visão mística.

A intimidade com os santos anjos de Deus tem papel relevante para a salvação humana. Não se trata apenas de uma opinião minha, mas de algo que, há alguns séculos, nos foi comunicado por um grande arcanjo, o príncipe da milícia celeste, São Miguel. Em uma aparição a uma ilustre serva de Deus, a freira carmelita Antónia d'Astónaco, ele pediu que fosse honrado com as hierarquias angélicas, e Deus também glorificado, através da recitação de nove invocações. Elas correspondem a apelos dirigidos aos nove coros de seres angélicos e deram origem ao Rosário de São Miguel Arcanjo (oração que aparece na íntegra na parte final deste livro). Sua prática foi plenamente aprovada pelo papa Pio IX em 1851.

Segundo o arcanjo, aquele que lhe rendesse o referido culto teria, na ocasião em que se aproximasse da Santa Mesa Eucarística (ou seja, o momento da comunhão), um cortejo de nove seres angélicos, escolhidos dentre os nove coros. Além disso, para quem fizesse a recitação diária das nove saudações, São Miguel Arcanjo prometeu sua assistência e a dos demais anjos durante todo o decurso da vida e, depois da morte, a libertação do purgatório para si mesmo e seus parentes.

Por esse motivo, nos terços que rezo, antes das Ave-Marias do primeiro mistério, realizo as nove saudações, a cada um dos nove coros celestes. Não deixo de honrá-los, pois sei do valor de tal devoção. Quando me reúno com os grupos de oração, nas mais diversas cidades, faço o mesmo.

O tema, como já puderam perceber, é fundamental para os que almejam uma vida espiritual mais profunda. A Igreja Católica, ciente de sua importância, dá destaque à devoção aos anjos, enaltecendo-os em duas datas – mais conhecidas pelos fiéis como "festas" – a eles dedicadas: 29 de setembro (Dia dos Santos Arcanjos Miguel, Rafael e Gabriel) e 2 de outubro (Dia do Anjo da Guarda).

Com este livro, pretendo que as pessoas adotem a prática cotidiana de andar na companhia dessas criaturas tão poderosas, que nos foram dadas de presente pelo Pai Celestial. Acredite: sua vida pode ser bem melhor e mudar em todos os sentidos devido ao convívio e à amizade com seu anjo protetor!

CONHEÇA OS LIVROS DE PEDRO SIQUEIRA

NÃO FICÇÃO
Todo mundo tem um anjo da guarda
Você pode falar com Deus

FICÇÃO
Senhora das águas
Senhora dos ares
Senhora do sol

Para saber mais sobre os títulos e autores da Editora Sextante, visite o nosso site. Além de informações sobre os próximos lançamentos, você terá acesso a conteúdos exclusivos e poderá participar de promoções e sorteios.

sextante.com.br